KB076699

이그잼보카

중등 중급 900

목차

Day 1

1	dislike	[dɪˈslaɪk]	v. 싫어하다, 좋아하지 않다 n. 혐오, 싫어함
2	south	[saʊθ]	n. 남, 남쪽, 남부, 남극
3	scale	[skeɪl]	n. 규모; 등급; 축척, 비율; 저울; 비늘
4	straight	[streɪt]	adv. 똑바로, 곧장, 곧바로
5	graduation	[ˌɡrædʒuˈeɪˌʃən]	n. 졸업
6	millions of		p. 수백만의
7	spray	[spreɪ]	v. 살포하다, ~를 뿌리다
8	realize	[ˈrɪəˌlaɪz]	v. 깨닫다, 실현하다
9	instant	[ˈɪn.stənt]	a. 즉시의, 즉각의, 긴급한
10	little by little		p. 조금씩, 점차로
11	trouble	[ˈtrʌb.əl]	n. 문제, 어려움, 곤란
12	law	[lɔ:]	n. 법, 법칙, 법률
13	research	[rɪˈsɜ:tʃ]	n. 연구, 조사 v. 연구하다, 조사하다
14	disappear	[ˌdɪs.əˈpɪər]	v. 사라지다
15	individual	[ˌɪn.dɪˈvɪdʒ.u.əl]	a. 개별의, 개인의; 독특한; 개인
16	keep -ing		p. 계속 ~하다, 줄곧 ~하다
17	task	[tɑ:sk]	n. 업무, 일, 과제. 과업
18	go away		p.(떠나) 가다
19	think about		p. ~에 대해 생각하다, 숙고하다
20	merry	[ˈmer.i]	a. 명랑한, 즐거운
21	freeway	[frí:wèi]	n. 고속도로
22	at school		p. 학교에서
23	be full of		p. ~로 가득 차다
24	disagree	[ˌdɪs.əˈɡri:]	v. 동의하지 않다, 일치하지 않다
25	bar	[bɑ:r]	n. 주점; 막대, 빗장; 덩어리; 장애물; 법원
26	rail	[reil]	n. 철도, 레일, 난간, 철도
27	core	[kɔ:r]	n. 핵심; 사물의 속
28	believe in		p. ~을 믿다
29	alike	[əˈlaɪk]	a. 매우 비슷한 adv. 똑같이
30	sentence	[ˈsen.təns]	n. 문장, 판결 v. 판결하다

Day 1

번호	영어	한글
1	dislike	
2	south	
3	scale	
4	straight	
5	graduation	
6	millions of	
7	spray	
8	realize	
9	instant	
10	little by little	
11	trouble	
12	law	
13	research	
14	disappear	
15	individual	

Day 1

번호	한글	영어	글자수
16	p. 계속 ~하다, 줄곧 ~하다	k	8 (p.)
17	n. 업무, 일, 과제. 과업	t	4
18	p.(떠나) 가다	g	6 (p.)
19	p. ~에 대해 생각하다, 숙고하다	t	10 (p.)
20	a. 명랑한, 즐거운	m	5
21	n. 고속도로	f	7
22	p. 학교에서	a	8 (p.)
23	p. ~로 가득 차다	b	8 (p.)
24	v. 동의하지 않다, 일치하지 않다	d	8
25	n. 주점; 막대, 빗장; 덩어리; 장애물; 법원	b	3
26	n. 철도, 레일, 난간, 철도	r	4
27	n. 핵심; 사물의 속	c	4
28	p. ~을 미다	b	9 (p.)
29	a. 매우 비슷한 adv. 똑같이	a	5
30	n. 문장, 판결 v. 판결하다	s	8

Day 2

31	leisure	[ˈleʒ.ər]	n. 여가
32	height	[haɪt]	n. 높이; 키; 고도, 최고, 절정
33	randomly	[ˈræn.dəm.li]	adv. 무작위로
34	entrance	[ˈen.trəns]	n. 들어감, 입장
35	someday	[səˈmdeɪ]	adv. 언젠가
36	keep a diary		p. (습관적으로) 일기를 쓰다
37	incident	[ˈɪn.sɪ.dənt]	n. 사건
38	credit	[ˈkred.ɪt]	n. 믿음, 평판
39	last night		p. 어젯밤에
40	trash	[træʃ]	n. 쓰레기
41	so that		p. ~하기 위해서
42	complex	[ˈkɒm.pleks]	a. 복잡한, 복합의; n. 건물 단지, 복합 건물
43	filter	[ˈfɪl.tər]	n. 필터, 여과 장치 v. 여과하다, 거르다
44	failure	[ˈfeɪ.ljər]	n. 실패, 실수
45	fuel	[ˈfjuː.əl]	v. 증가시키다, 기름을 넣다 n. 연료
46	shorts	[ʃɔːts]	n. 짧은 바지
47	slice	[slaɪs]	v. 쪼개다, 자르다
48	defend	[dɪˈfend]	v. 방어하다; 옹호하다, 변호하다
49	one by one		p. 한 명씩, 하나씩
50	come on		p. 시작하다; ~이 닥쳐오다
51	notice	[ˈnəʊ.tɪs]	n. 통보, 신경씀, 주목, 알아챔; 공고문
52	southern	[sʌðərn]	a. 남부의, 남쪽의
53	bill	[bɪl]	n. 고지서, 계산서, 지폐 v. 청구서를 보내다
54	opinion	[əˈpɪn.jən]	n. 의견, 견해
55	be going to do		p. ~할 것이다
56	enterprise	[ˈen.tə.praɪz]	n. 기업, 회사; 경영
57	in advance		p. 미리, 선불로
58	gain	[geɪn]	v. 얻다
59	symbol	[ˈsɪm.bəl]	n. 상징, 기호
60	brick	[brɪk]	n. 벽돌 a. 벽돌로 지은

Day 2

번호	영어	한글
31	leisure	
32	height	
33	randomly	
34	entrance	
35	someday	
36	keep a diary	
37	incident	
38	credit	
39	last night	
40	trash	
41	so that	
42	complex	
43	filter	
44	failure	
45	fuel	

Day 2

번호	한글	영어	글자수
46	n. 짧은 바지	s	6
47	v. 쪼개다, 자르다	s	5
48	v. 방어하다; 옹호하다, 변호하다	d	6
49	p. 한 명씩, 하나씩	o	8 (p.)
50	p. 시작하다; ~이 닥쳐오다	c	6 (p.)
51	n. 통보, 신경씀, 주목, 알아챔; 공고문	n	6
52	a. 남부의, 남쪽의	s	8
53	n. 고지서, 계산서, 지폐 v. 청구서를 보내다	b	4
54	n. 의견, 견해	o	7
55	p. ~할 것이다	b	11 (p.)
56	n. 기업, 회사; 경영	e	10
57	p. 미리, 선불로	i	9 (p.)
58	v. 얻다	g	4
59	n. 상징, 기호	s	6
60	n. 벽돌 a. 벽돌로 지은	b	5

Day 3

61	escape	[ɪˈskeɪp]	v. 탈출, 달아나다
62	physical	[ˈfɪz.ɪ.kəl]	a. 육체의, 물질의, 신체의; 실물의
63	take a walk		p. 산책하다
64	clever	[klévər]	a. 영리한, 똑똑한, 재치 있는
65	formal	[ˈfɔː.məl]	a. 격식을 차린, 공식적인
66	experiment	[ɪkˈsper.ɪ.mənt]	n. 실험 v. 실험하다
67	lead	[liːd]	v. 이끌다 n. (신문 기사의) 첫머리; 선례
68	ache	[eɪk]	v. 아프다
69	stranger	[ˈstreɪn.dʒər]	n. 모르는 사람
70	minor	[ˈmaɪ.nər]	a. 사소한, 작은 n. 부전공, 미성년자
71	lock	[lɒk]	n. 자물쇠, 잠금장치
72	stream	[striːm]	n. 시내; 흐름
73	escalate	[ˈes.kə.leɪt]	v. 증가시키다; 확대되다
74	audience	[ˈɔː.di.əns]	청중, 관객, 시청자
75	whenever	[wenˈev.ər]	conj. ~할 때마다
76	favorite	[ˈfeɪ.vər.ɪt]	a. 가장 좋아하는
77	another	[ənʌðər]	a. 또 하나의, 다른
78	participate	[pɑːˈtɪs.ɪ.peɪt]	v. 참여하다, 관여하다
79	wild	[waɪld]	a. 야생의, 자생의 adv. 거칠게
80	expect	[ɪkˈspekt]	v. 기대하다, 예상하다
81	earthquake	[ˈɜːθ.kweɪk]	n. 지진
82	nowadays	[ˈnaʊ.ə.deɪz]	adv. 요즘에는
83	move to N		p. ~로 이사하다, 이동하다
84	raise	[reɪz]	v. 들어올리다, 일으키다; 모금하다
85	truth	[truːθ]	n. 진실, 진리
86	cheer	[tʃɪər]	n. 환호 v. 환호하다, 응원하다
87	fortunately	[fɔ́ːrʧənətli]	adv. 다행히, 운 좋게
88	rule	[ruːl]	n. 규칙, 원칙 v. 통치하다, 다스리다
89	from now on		p. 지금부터 계속
90	pump	[pʌmp]	n. 펌프 v. 퍼올리다, 솟구치다; 흔들다

Day 3

번호	영어	한글
61	escape	
62	physical	
63	take a walk	
64	clever	
65	formal	
66	experiment	
67	lead	
68	ache	
69	stranger	
70	minor	
71	lock	
72	stream	
73	escalate	
74	audience	
75	whenever	

Day 3

번호	한글	영어	글자수
76	a. 가장 좋아하는	f	8
77	a. 또 하나의, 다른	a	7
78	v. 참여하다, 관여하다	p	11
79	a. 야생의, 자생의 adv. 거칠게	w	4
80	v. 기대하다, 예상하다	e	6
81	n. 지진	e	10
82	adv. 요즘에는	n	8
83	p. ~로 이사하다, 이동하다	m	7 (p.)
84	v. 들어올리다, 일으키다; 모금하다	r	5
85	n. 진실, 진리	t	5
86	n. 환호 v. 환호하다, 응원하다	c	5
87	adv. 다행히, 운 좋게	f	11
88	n. 규칙, 원칙 v. 통치하다, 다스리다	r	4
89	p. 지금부터 계속	f	9 (p.)
90	n. 펌프 v. 퍼올리다, 솟구치다; 흔들다	p	4

Day 4

91	uneasy	[ʌníːzi]	a. 불안한, 불편한
92	else	[els]	a. 그 밖의, 다른
93	general	[ˈdʒen.ər.əl]	a. 일반적인; 보편적인 n. 장군
94	silent	[sáilənt]	a. 침묵을 지키는
95	take a taxi		p. 택시를 타다
96	classic	[ˈklæs.ɪk]	a. 전형적인, 고전적인
97	degree	[dɪˈgriː]	n. 정도, 단계; 학위
98	mention	[ˈmen.ʃən]	n. 언급 v. 언급하다
99	trust	[trʌst]	v. 신뢰하다, 맡기다, 의지하다 n. 신뢰, 의탁
100	hang	[hæŋ]	v. 걸다, 매달다; 걸리다, 매달리다
101	instead of		p. ~대신에
102	surprise		놀람; 놀라게 하다
103	wrap	[ræp]	v. 싸다. 포장하다; n. 포장지, 랩
104	rough	[rʌf]	a. 거친, 고르지 않은; 대충한, 개략적인
105	nest	[nest]	n. (곤충의) 집, 둥지; 소굴
106	consider	[kənˈsp.ər]	v. 고려하다, 생각하다
107	take off		p. (옷 따위를) 벗다, 이륙하다
108	of course		p. 물론, 당연히
109	go -ing		p. ~하러 가다
110	kindness	[káindnis]	n. 친절, 호의
111	either A or B		p. (둘 중) A든 B든
112	go to bed		p. 잠자리에 들다
113	try to do		p. ~하려고 노력하다
114	century	[ˈsen.tʃər.i]	n. 100년, 1세기
115	host	[həʊst]	n. 주인, 주최자, 진행자
116	grow up		p. 자라나다, 어른이 되다
117	up and down		p. 위아래로, 이러저리
118	necklace	[ˈnek.ləs]	n. 목걸이
119	section	[ˈsek.ʃən]	n. 부분
120	be from		p. ~출신이다

Day 4

번호	영어	한글
91	uneasy	
92	else	
93	general	
94	silent	
95	take a taxi	
96	classic	
97	degree	
98	mention	
99	trust	
100	hang	
101	instead of	
102	surprise	
103	wrap	
104	rough	
105	nest	

Day 4

번호	한글	영어	글자수
106	v. 고려하다, 생각하다	c	8
107	p. (옷 따위를) 벗다, 이륙하다	t	7 (p.)
108	p. 물론, 당연히	o	8 (p.)
109	p. ~하러 가다	g	6 (p.)
110	n. 친절, 호의	k	8
111	p. (둘 중) A든 B든	e	10 (p.)
112	p. 잠자리에 들다	g	7 (p.)
113	p. ~하려고 노력하다	t	7 (p.)
114	n. 100년, 1세기	c	7
115	n. 주인, 주최자, 진행자	h	4
116	p. 자라나다, 어른이 되다	g	6 (p.)
117	p. 위아래로, 이러저리	u	9 (p.)
118	n. 목걸이	n	8
119	n. 부분	s	7
120	p. ~출신이다	b	6 (p.)

Day 5

121	all night		p. 밤새도록
122	underline	[ˌʌn.dəˈlaɪn]	v. 강조하다; 주장을 밝히다
123	make money		p. 돈을 벌다
124	totally	[ˈtəʊ.təl.i]	a. 완전히, 전적으로
125	female	[ˈfiː.meɪl]	n. 여성, 암컷 a. 암성의
126	express	[ɪkˈspres]	v. 표현하다 a. 명확한; 급행의
127	get to N		p. ~에 도착하다
128	extra	[ˈek.strə]	a. 외부의, 여분의, 추가의
129	seed	[siːd]	n. 씨앗 v. 씨를 뿌리다
130	series	[ˈsɪə.riːz]	n. 연속; 시리즈
131	cabinet	[kæbənit]	n. 캐비닛, 보관장; (정부의) 내각
132	shade	[ʃeɪd]	n. 그늘, 응달, 어둠
133	during	[ˈdʒʊə.rɪŋ]	prep. ~하는 동안, ~중에
134	take a shower		p. 샤워하다, 목욕하다
135	format	[ˈfɔː.mæt]	n. 형태, 체재, 구성 방식
136	paradise	[pǽrədàis]	n. 낙원, 천국, 파라다이스
137	horror	[ˈhɒr.ər]	n. 공포
138	away	[əˈweɪ]	adv. 떨어져서
139	except	[ɪkˈsept]	v. 제외하다
140	coin	[kɔɪn]	v. (새로운 말을) 만들어 내다; 주조하다 n. 동전
141	gesture	[ˈdʒes.tʃər]	n. 몸짓, 제스처; 의사 표현, 표시
142	take care of		p. 돌보다
143	run away		p. 달아나다, 도망치다
144	option	[ˈɒp.ʃən]	n. 선택, 선택권
145	get lost		p. 길을 잃다
146	maximum	[ˈmæk.sɪ.məm]	a. 최대의, 최고의
147	hand out		p. 나눠주다
148	shellfish	[ˈʃel.fɪʃ]	n. 조개류, 갑각류
149	mean	[miːn]	v. 의미하다 a. 비열한, 인색한; 평균의
150	coding	[kóudiŋ]	n. 암호화, 코딩

Day 5

번호	영어	한글
121	all night	
122	underline	
123	make money	
124	totally	
125	female	
126	express	
127	get to N	
128	extra	
129	seed	
130	series	
131	cabinet	
132	shade	
133	during	
134	take a shower	
135	format	

Day 5

번호	한글	영어	글자수
136	n. 낙원, 천국, 파라다이스	p	8
137	n. 공포	h	6
138	adv. 떨어져서	a	4
139	v. 제외하다	e	6
140	v. (새로운 말을) 만들어 내다; 주조하다 n. 동전	c	4
141	n. 몸짓, 제스처; 의사 표현, 표시	g	7
142	p. 돌보다	t	10 (p.)
143	p. 달아나다, 도망치다	r	7 (p.)
144	n. 선택, 선택권	o	6
145	p. 길을 잃다	g	7 (p.)
146	a. 최대의, 최고의	m	7
147	p. 나눠주다	h	7 (p.)
148	n. 조개류, 갑각류	s	9
149	v. 의미하다 a. 비열한, 인색한; 평균의	m	4
150	n. 암호화, 코딩	c	6

Day 6

151	loss	[lɒs]	n. 분실, 상실, 손실
152	rhythm	[ˈrɪð.əm]	n. 리듬, 율동, 변화
153	blind	[blaɪnd]	a. 눈이 먼; 맹목적인 n. 맹인들
154	last time		p. 지난번에
155	simulate	[ˈsɪm.jə.leɪt]	v. 모방하다
156	planet	[ˈplæn.ɪt]	n. 행성
157	by bus		p. 버스를 타고
158	educate	[ˈedʒ.u.keɪt]	v. 교육하다, 가르치다
159	league	[liːg]	n. 연합, 연맹, (스포츠 경기의) 리그
160	public	[ˈpʌb.lɪk]	a. 공공의, 일반 대중의
161	purchase	[ˈpɜː.tʃəs]	v. 구매하다, 취득하다 n. 구매, 취득
162	bored	[bɔːd]	a. 지루한
163	defense	[dɪˈfens]	n. 방어, 수비, 변호
164	interests	[ˈɪn.trəst]	n. 이익
165	fail	[feɪl]	v. 실패하다
166	label	[ˈleɪ.bəl]	n. 표, 딱지; 음반사 v. 일컫다, 부르다
167	forget	[fəˈget]	v. 잊다
168	bull	[bʊl]	n. 황소; 주식 매수자
169	exchange	[ɪksˈtʃeɪndʒ]	v. 교환하다, 환전하다; 교환, 환전
170	photograph	[ˈfəʊ.tə.grɑːf]	n. 사진
171	weekday	[wiˈkdeiˌ]	n. 평일, 주중
172	silly	[síli]	a. 어리석은
173	agency	[ˈeɪ.dʒən.si]	n. 대리점, 소속사, 기관
174	volume	[ˈvɒl.juːm]	n. 책, 부피, 양
175	closely	[ˈkləʊs.li]	adv. 접근하여, 바싹
176	usually	[ˈjuː.ʒu.ə.li]	adv. 보통, 대개
177	meal	[mɪəl]	n. 식사
178	expression	[ɪkˈspreʃ.ən]	n. 표현
179	impression	[ɪmˈpreʃ.ən]	n. 인상, 감명, 눌린 자국
180	steal	[stiːl]	v. 훔치다, 몰래 움직이다

Day 6

번호	영어	한글
151	loss	
152	rhythm	
153	blind	
154	last time	
155	simulate	
156	planet	
157	by bus	
158	educate	
159	league	
160	public	
161	purchase	
162	bored	
163	defense	
164	interests	
165	fail	

Day 6

번호	한글	영어	글자수
166	n. 표, 딱지; 음반사 v. 일컫다, 부르다	l	5
167	v. 잊다	f	6
168	n. 황소; 주식 매수자	b	4
169	v. 교환하다, 환전하다; 교환, 환전	e	8
170	n. 사진	p	10
171	n. 평일, 주중	w	7
172	a. 어리석은	s	5
173	n. 대리점, 소속사, 기관	a	6
174	n. 책, 부피, 양	v	6
175	adv. 접근하여, 바싹	c	7
176	adv. 보통, 대개	u	7
177	n. 식사	m	4
178	n. 표현	e	10
179	n. 인상, 감명, 눌린 자국	i	10
180	v. 훔치다, 몰래 움직이다	s	5

Day 7

181	million	[ˈmɪl.jən]	n. 백만
182	respect	[rɪˈspekt]	n. 존경, 경의; 면 v. 존경하다
183	praise	[preɪz]	v. 칭찬(하다), 찬양하다
184	strength	[streŋθ]	n. 힘, 체력, 강점
185	carry	[ˈkær.i]	v. 나르다; 지니다; (물품을) 팔다
186	check out		p. 을 확인하다, 점검하다; ~에서 나가다
187	advance	[ədˈvɑːns]	n. 발전, 전진 v. 발전하다, 전진하다
188	cancer	[ˈkæn.sər]	n. 암
189	valley	[ˈvæl.i]	n. 계곡
190	senior	[ˈsiː.ni.ər]	a. 고위의, 상급의; 연장자, 손윗사람
191	surround	[səˈraʊnd]	v. 둘러싸다, 에워싸다, 포위하다
192	complain	[kəmˈpleɪn]	v. 불평하다
193	piece	[piːs]	n. 한 부분, 조각
194	psycho	[sáikou]	n. 정신분석, 광인
195	trick	[trɪk]	n. 속임수, 비법, (교묘한) 방법
196	tune	[tʃuːn]	n. 가락, 곡, 선율 v. 주파수를 맞추다
197	purse	[pɜːs]	n. (여성용) 지갑, 핸드백
198	there be		p. ~이 있다
199	despite	[dɪˈspaɪt]	prep. ~에도 불구하고
200	metal	[ˈmet.əl]	n. 금속
201	harmony	[ˈhɑː.mə.ni]	n. 조화
202	pattern	[ˈpæt.ən]	n. 양식, 형태; 도안, 무늬; 본보기, 견본
203	track	[træk]	n. 통로; 흔적; 철도; v. 추적하다
204	right away		p. 곧, 즉시
205	negative	[ˈneg.ə.tɪv]	a. 부정의, 반대의
206	some of		p. ~의 일부
207	heal	[hiːl]	v. 치료하다, 치유가 되다
208	contest	[ˈkɒn.test]	n. 경쟁 v. 논쟁하다; 이의를 제기하다
209	income	[ˈɪŋ.kʌm]	n. 안으로 온 것(소득)
210	military	[ˈmɪl.ɪ.tər.i]	a. 군의, 군대의

Day 7

번호	영어	한글
181	million	
182	respect	
183	praise	
184	strength	
185	carry	
186	check out	
187	advance	
188	cancer	
189	valley	
190	senior	
191	surround	
192	complain	
193	piece	
194	psycho	
195	trick	

Day 7

번호	한글	영어	글자수
196	n. 가락, 곡, 선율 v. 주파수를 맞추다	t	4
197	n. (여성용) 지갑, 핸드백	p	5
198	p. ~이 있다	t	7 (p.)
199	prep. ~에도 불구하고	d	7
200	n. 금속	m	5
201	n. 조화	h	7
202	n. 양식, 형태; 도안, 무늬; 본보기, 견본	p	7
203	n. 통로; 흔적; 철도; v. 추적하다	t	5
204	p. 곧, 즉시	r	9 (p.)
205	a. 부정의, 반대의	n	8
206	p. ~의 일부	s	6 (p.)
207	v. 치료하다, 치유가 되다	h	4
208	n. 경쟁 v. 논쟁하다; 이의를 제기하다	c	7
209	n. 안으로 온 것(소득)	i	6
210	a. 군의, 군대의	m	8

Day 8

211	upside down		p. 거꾸로, 뒤집혀
212	cage	[keɪdʒ]	n. 우리; 새장
213	device	[dɪˈvaɪs]	n. 고안, 방책, 기기, 장치
214	accessory	[æksésəri]	n. 부품, 액세사리
215	beyond	[biˈjɒnd]	adv. 저편에, 너머
216	poetry		n. 시, 운문, 우아함
217	wisdom	[ˈwɪz.dəm]	n. 아는 것, 지혜, 명언
218	want to do		p. ~하고 싶다
219	talk to N		p. ~에게 말을 걸다, ~와 이야기하다
220	smoke	[sməʊk]	v. 흡연하다
221	growth	[ɡrəʊθ]	n. 성장, 발전
222	serve	[sɜːv]	v. 제공하다; 시중을 들다, ~에 이바지하다
223	clay	[kleɪ]	n. 점토
224	spend A in -ing		p. ~하느라 돈[시간]을 쓰다.
225	experience	[ɪkˈspɪə.ri.əns]	n. 경험
226	helpful	[hélpfəl]	a. 도움이 되는, 유용한, 유익한
227	clue	[kluː]	n. 단서, 실마리, 힌트
228	customer	[ˈkʌs.tə.mər]	n. 고객, 단골
229	gallery	[ɡǽləri]	n. 미술관, 화랑
230	in danger		p. 위험에 빠진
231	sweat	[N/A]	n. 땀 v. 땀을 흘리다
232	on television		p. 텔레비전에서
233	on the phone		p. 전화상으로; 통화 중인
234	suddenly	[ˈsʌd.ən.li]	adv. 갑자기
235	powder	[ˈpaʊ.dər]	n. 분말
236	accept	[əkˈsept]	v. 받아들이다, 수락하다
237	in the morning		p. 아침에
238	slang	[slæŋ]	n. 속어, 은어
239	situation	[ˌsɪtʃ.uˈeɪ.ʃən]	n. 상황, 처지, 위치
240	channel	[ˈtʃæn.əl]	n. (의사소통 등의) 수단, (TV) 채널

Day 8

번호	영어	한글
211	upside down	
212	cage	
213	device	
214	accessory	
215	beyond	
216	poetry	
217	wisdom	
218	want to do	
219	talk to N	
220	smoke	
221	growth	
222	serve	
223	clay	
224	spend A in -ing	
225	experience	

Day 8

번호	한글	영어	글자수
226	a. 도움이 되는, 유용한, 유익한	h	7
227	n. 단서, 실마리, 힌트	c	4
228	n. 고객, 단골	c	8
229	n. 미술관, 화랑	g	7
230	p. 위험에 빠진	i	8 (p.)
231	n. 땀 v. 땀을 흘리다	s	5
232	p. 텔레비전에서	o	12 (p.)
233	p. 전화상으로; 통화 중인	o	10 (p.)
234	adv. 갑자기	s	8
235	n. 분말	p	6
236	v. 받아들이다, 수락하다	a	6
237	p. 아침에	i	12 (p.)
238	n. 속어, 은어	s	5
239	n. 상황, 처지, 위치	s	9
240	n. (의사소통 등의) 수단, (TV) 채널	c	7

Day 9

241	treasure	[ˈtreʒ.ər]	n. 보물
242	social	[ˈsəʊ.ʃəl]	a. 사회의; 사교상의, 사교적인
243	lie	[laɪ]	vi. 눕다; ~인 상태로 있다; 거짓말하다
244	repair	[rɪˈpeər]	v. 수리하다; 회복하다
245	content	[kənˈtent]	n. 내용(물), 목차; 용량 v. 만족시키다
246	insert	[ɪnˈsɜːt]	v. 삽입하다
247	per	[pɜːr]	prep. 각, ~마다, ~당, ~에 대하여
248	skip	[skip]	v. 거르다, 건너뛰다, 생략하다
249	adulthood		성년(기), 성인(임)
250	be in trouble		p. 곤란에 처하다, 곤경에 빠지다
251	shuttle	[ʃʌtl]	v. 왕복하다
252	sharp	[ʃɑːp]	a. 날카로운
253	gap	[ɡæp]	n. 격차
254	stomach	[ˈstəmək]	n. 위장, 배, 뱃속, 복부
255	announce	[əˈnaʊns]	v. 발표하다, 알리다
256	a piece of		p. 한 조각의, 한 개의
257	item	[ˈaɪ.təm]	n. 항목, 물품, 품목; 한 가지
258	positive	[ˈpɒz.ə.tɪv]	a. 긍정적인, 승낙의, 찬성의; 양수, 양성
259	dive	[daɪv]	v. 뛰어들다, 잠수하다
260	chant	[tʃɑːnt]	n. 노래, 멜로디, 성가
261	refund	[ˈriː.fʌnd]	n. 환불, 반환 v. 환불하다, 환급하다
262	be gone		p. 사라지다, 없어지다
263	signal	[ˈsɪɡ.nəl]	v. 신호를 보내다, 시사하다, 표시하다
264	gene	[dʒiːn]	n. 유전자
265	doubt	[daʊt]	v. 둘을 두고 의심(하다)
266	for a long time		p. 왯동안
267	any time		p. 언제든지
268	bump	[bʌmp]	n. 혹, 충돌 v. 부딪치다
269	monitor	[ˈmɒn.ɪ.tər]	n. 모니터; 감시자, 관찰자 v. 감시하다
270	beside	[bisáid]	prep. ~곁에, ~과 비교하면, 벗어나

Day 9

번호	영어	한글
241	treasure	
242	social	
243	lie	
244	repair	
245	content	
246	insert	
247	per	
248	skip	
249	adulthood	
250	be in trouble	
251	shuttle	
252	sharp	
253	gap	
254	stomach	
255	announce	

Day 9

번호	한글	영어	글자수
256	p. 한 조각의, 한 개의	a	8 (p.)
257	n. 항목, 물품, 품목; 한 가지	i	4
258	a. 긍정적인, 승낙의, 찬성의; 양수, 양성	p	8
259	v. 뛰어들다, 잠수하다	d	4
260	n. 노래, 멜로디, 성가	c	5
261	n. 환불, 반환 v. 환불하다, 환급하다	r	6
262	p. 사라지다, 없어지다	b	6 (p.)
263	v. 신호를 보내다, 시사하다, 표시하다	s	6
264	n. 유전자	g	4
265	v. 둘을 두고 의심(하다)	d	5
266	p. 왯동안	f	12 (p.)
267	p. 언제든지	a	7 (p.)
268	n. 혹, 충돌 v. 부딪치다	b	4
269	n. 모니터; 감시자, 관찰자 v. 감시하다	m	7
270	prep. ~곁에, ~과 비교하면, 벗어나	b	6

Day 10

271	detail	[ˈdiː.teɪl]	n. 세부 목록, 세부 사항 v. 상세히 열거하다
272	function	[ˈfʌŋk.ʃən]	v. 이행하다, 기능하다 n. 기능, 행사
273	be interested in		p. ~에 관심 / 흥미가 있는
274	a lot of		p. 많은
275	tourist	[túərist]	n. 관광객
276	report	[rɪˈpɔːt]	v. 알리다, 발표하다, 전하다
277	stamp	[stæmp]	n. 우표, 도장; 흔적 v. 발을 구르다
278	unexpected	[ˌʌn.ɪkˈspek.tɪd]	a. 예기치 않은, 예상 밖의
279	spirit	[ˈspɪr.ɪt]	n. 정신, 마음; 영혼, 혼
280	bacteria	[bækˈtɪə.ri.ə]	n. 박테리아, 세균
281	be busy with		p. ~로 바쁘다
282	disease	[dɪˈziːz]	n. 질병, 질환; v. 병에 걸리게 하다
283	promotion	[prəˈməʊ.ʃən]	n. 승진, 진급
284	port	[pɔːt]	n. 항구, 항구 도시
285	own	[əʊn]	a. 자신의, 직접 ~한 v. 소유하다
286	in the past		p. 과거에
287	introduce	[ˌɪn.trəˈdʒuːs]	v. 소개하다, 도입하다, 안으로 들어오다
288	nonstop	[naˌnstaˈp]	a. 정지하지 않는
289	panic	[ˈpæn.ɪk]	n. 극심한 공포, 공황
290	aboard	[əˈbɔːd]	a. (배·비행기 등에) 탑승해 있는, 타고
291	economy		n. 경제, 절약
292	for instance		p. 예를 들면
293	cancel	[ˈkæn.səl]	v. 취소하다
294	greenhouse	[gríːnhàus]	n. 온실
295	tear	[teər]	v. 찢다, 뚫다 n. 눈물
296	election	[ilékʃən]	n. 선거, 당선
297	prey	[preɪ]	n. 먹이, 멋잇감, 사냥감
298	excited	[ɪkˈsaɪ.tɪd]	a. 신이 난, 들뜬
299	switch	[swɪtʃ]	n. 회초리; 스위치 v. 전환하다, 바꾸다
300	none	[nʌn]	pn. 아무도 ~않다, 어떤 것도 ~않다

Day 10

번호	영어	한글
271	detail	
272	function	
273	be interested in	
274	a lot of	
275	tourist	
276	report	
277	stamp	
278	unexpected	
279	spirit	
280	bacteria	
281	be busy with	
282	disease	
283	promotion	
284	port	
285	own	

Day 10

번호	한글	영어	글자수
286	p. 과거에	i	9 (p.)
287	v. 소개하다, 도입하다, 안으로 들어오다	i	9
288	a. 정지하지 않는	n	7
289	n. 극심한 공포, 공황	p	5
290	a. (배·비행기 등에) 탑승해 있는, 타고	a	6
291	n. 경제, 절약	e	7
292	p. 예를 들면	f	11 (p.)
293	v. 취소하다	c	6
294	n. 온실	g	10
295	v. 찢다, 뚫다 n. 눈물	t	4
296	n. 선거, 당선	e	8
297	n. 먹이, 멋잇감, 사냥감	p	4
298	a. 신이 난, 들뜬	e	7
299	n. 회초리; 스위치 v. 전환하다, 바꾸다	s	6
300	pn. 아무도 ~않다, 어떤 것도 ~않다	n	4

Day 11

301	serious	[ˈsɪə.ri.əs]	a. 심각한, 진지한, 만만찮은
302	marry	[mǽri]	v. 결혼하다
303	booth	[buːð]	n. 칸막이한 좌석, 부스, 매점
304	volunteer	[ˌvɒl.ənˈtɪər]	n. 지원자, 자원봉사자
305	collect	[kəˈlekt]	v. 모으다, 모이다
306	haircut	[hˈɛərkˌʌt]	n. 이발, 헤어스타일
307	be worried about		p. ~에 대해 걱정하다
308	rise	[raɪz]	v. 오르다, 올라가다, 일어나다 n. 증가, 인상
309	melt	[melt]	v. 녹다
310	passion	[ˈpæʃ.ən]	n. 열정
311	natural	[ˈnætʃ.ər.əl]	a. 자연스러운, 본연의
312	though	[ðəʊ]	adv. 그렇지만 conj. ~임에도 불구하고
313	come true		p. 실현되다
314	fear	[fɪər]	n. 두려움 v. 두려워하다
315	navy	[ˈneɪ.vi]	n. 해군
316	unit	[júːnit]	n. 구성 단위; (측정) 단위; 부대, 장치, 계열사
317	turn on		p. 불을 켜다
318	passenger	[ˈpæs.ən.dʒər]	n. 승객, 여객
319	canal	[kəˈnæl]	n. 운하, (체내의) 관
320	poem		n. 시
321	sector	[ˈsek.tər]	n. 부채꼴, 부문, 분할하다
322	college	[kɑ́lidʒ]	n. 대학, 연구소
323	reaction	[riˈæk.ʃən]	n. 반작용, 반응, 대응
324	tube	[tʃuːb]	n. 관, 튜브, 통
325	wisely	[wáizli]	adv. 현명하게, 지혜롭게
326	fortune	[ˈfɔː.tʃuːn]	n. 운, 재산, 성쇠
327	thanks to N		p. ~덕분에, ~때문에
328	biography	[baɪˈɒg.rə.fi]	n. 전기, 일대기
329	royal	[ˈrɔɪ.əl]	a. 왕의, 왕립의
330	mad	[mæd]	a. 화난, 미친 n. 미치광이

Day 11

번호	영어	한글
301	serious	
302	marry	
303	booth	
304	volunteer	
305	collect	
306	haircut	
307	be worried about	
308	rise	
309	melt	
310	passion	
311	natural	
312	though	
313	come true	
314	fear	
315	navy	

Day 11

번호	한글	영어	글자수
316	n. 구성 단위; (측정) 단위; 부대, 장치, 계열사	u	4
317	p. 불을 켜다	t	6 (p.)
318	n. 승객, 여객	p	9
319	n. 운하, (체내의) 관	c	5
320	n. 시	p	4
321	n. 부채꼴, 부문, 분할하다	s	6
322	n. 대학, 연구소	c	7
323	n. 반작용, 반응, 대응	r	8
324	n. 관, 튜브, 통	t	4
325	adv. 현명하게, 지혜롭게	w	6
326	n. 운, 재산, 성쇠	f	7
327	p. ~덕분에, ~때문에	t	9 (p.)
328	n. 전기, 일대기	b	9
329	a. 왕의, 왕립의	r	5
330	a. 화난, 미친 n. 미치광이	m	3

Day 12

331	dictionary	[díkʃənèri]	n. 사전
332	strange	[streɪndʒ]	a. 이상한, 낯선
333	category	[ˈkæt.ə.gri]	n. 범주
334	diet	[ˈdaɪ.ət]	n. 식단
335	rude	[ru:d]	a. 무례한
336	animation	[ænəméiʃən]	n. 생기, 활기; 애니메이션, 동화
337	advantage	[ədˈvɑːn.tɪdʒ]	n. 이점, 장점
338	position	[pəˈzɪʃ.ən]	n. 자리, 위치, 직책, 입장; 일자리
339	row	[rəʊ]	n. 열, 줄 v. 노를 젓다
340	foreign	[ˈfɒr.ən]	a. 외국의, 대외의; 이질적인, 생소한
341	unusual	[ʌnˈjuː.ʒu.əl]	a. 특이한, 드문
342	scenery	[ˈsiː.nər.i]	n. 무대 장면, 배경
343	be sorry for		p. 미안하다, 유감이다
344	society	[səˈsaɪ.ə.ti]	n. 사회, 집단, 사교계; 학회
345	novel	[ˈnɒv.əl]	n. 소설 a. 신기한, 새로운
346	asleep	[əslíːp]	a. 잠들어, 자는, 조는
347	share	[ʃeər]	v. 공유하다, 함께 쓰다 n. 시장 점유율; 비율
348	seem	[si:m]	v. ~처럼 보이다
349	remember	[rɪˈmem.bər]	v. 기억하다
350	fee	[fi:]	n. 요금
351	gentle	[ˈdʒen.təl]	a. 온화한, 완만한, 부드러운
352	warrior	[ˈwɒr.i.ər]	n. 전사, 용사
353	curious	[ˈkjʊə.ri.əs]	a. 호기심이 강한, 이상한
354	important	[ɪmˈpɔː.tənt]	a. 중요한
355	cheat	[tʃiːt]	v. 속이다, 부정행위를 하다
356	product	[ˈprɒd.ʌkt]	n. 생산물, 상품, 산물
357	emergency	[ɪˈmɜː.dʒən.si]	n. 비상사태, 위급
358	spin	[spɪn]	v. 회전하다; 실을 잣다 n. 자전
359	waste	[weɪst]	n. 쓰레기, 폐기물
360	healthy	[ˈhel.θi]	a. 건강한, 건강에 좋은

Day 12

번호	영어	한글
331	dictionary	
332	strange	
333	category	
334	diet	
335	rude	
336	animation	
337	advantage	
338	position	
339	row	
340	foreign	
341	unusual	
342	scenery	
343	be sorry for	
344	society	
345	novel	

Day 12

번호	한글	영어	글자수
346	a. 잠들어, 자는, 조는	a	6
347	v. 공유하다, 함께 쓰다 n. 시장 점유율; 비율	s	5
348	v. ~처럼 보이다	s	4
349	v. 기억하다	r	8
350	n. 요금	f	3
351	a. 온화한, 완만한, 부드러운	g	6
352	n. 전사, 용사	w	7
353	a. 호기심이 강한, 이상한	c	7
354	a. 중요한	i	9
355	v. 속이다, 부정행위를 하다	c	5
356	n. 생산물, 상품, 산물	p	7
357	n. 비상사태, 위급	e	9
358	v. 회전하다; 실을 잣다 n. 자전	s	4
359	n. 쓰레기, 폐기물	w	5
360	a. 건강한, 건강에 좋은	h	7

Day 13

361	swing	[swɪŋ]	v. 흔들다, 빙 돌다 n. 그네
362	expert	[ˈek.spɜ:t]	n. 전문가, 숙련가
363	chief	[tʃi:f]	n. 우두머리, 부족장 a. 최고의
364	closet	[ˈklɒz.ɪt]	n. 벽장
365	hold	[həʊld]	v. 잡다, ~을 수용하다, ; (회의 등을) 개최하다
366	edge	[edʒ]	n. 끝, 모서리; (칼 등의) 날; 우위, 유리함
367	honor	[ˈɒn.ər]	n. 명예 v. 경의를 표하다, 명예를 주다
368	loud	[laud]	a. 큰 소리로, 큰, 시끄러운
369	do one's best		p. 최선을 다하다
370	next to		p. ~옆에
371	useful	[júːsfəl]	a. 유용한, 쓸모 있는
372	alive	[əˈlaɪv]	a. 살아있는, 활기찬
373	stupid	[ˈstjuː.pɪd]	a. 어리석은, 둔한, 멍청한
374	upon	[əˈpɒn]	prep. ~위에
375	curl	[kɜ:l]	n. 곱슬머리 v. (몸을) 웅크리다
376	prove	[pruːv]	v. 입증하다, 증명하다
377	shut	[ʃʌt]	폐쇄하다, 닫다
378	absent	[æbsənt]	a. 결석한, 없는; (표정이) 멍한, 집중하지 않는
379	period	[ˈpɪə.ri.əd]	n. 길 주변, 기간, 주기
380	be different from		p. ~와 다른
381	international	[ˌɪn.təˈnæʃ.ən.əl]	a. 국가 간의, 국제적인
382	since	[sins]	adv. 그 이후 prep. 이후에 conj. ~한 후에
383	come into		p. ~안에 들어오다
384	fair	[feər]	a. 타당한, 공정한 n. 박람회, 전시회
385	one of		p. ~중 하나
386	eventually	[ɪˈven.tʃu.ə.li]	adv. 결국
387	however	[hauévər]	adv. 아무리 ~일 지라도; 그러나, 하지만
388	so so		p. 그저 그렇다
389	emotion	[ɪˈməʊ.ʃən]	n. 감정, 정서, 감동
390	illegal	[ɪˈliː.ɡəl]	a. 불법의, 위법의, 비합법적인

Day 13

번호	영어	한글
361	swing	
362	expert	
363	chief	
364	closet	
365	hold	
366	edge	
367	honor	
368	loud	
369	do one's best	
370	next to	
371	useful	
372	alive	
373	stupid	
374	upon	
375	curl	

Day 13

번호	한글	영어		글자수
376	v. 입증하다, 증명하다	p		5
377	폐쇄하다, 닫다	s		4
378	a. 결석한, 없는; (표정이) 멍한, 집중하지 않는	a		6
379	n. 길 주변, 기간, 주기	p		6
380	p. ~와 다른	b		15 (p.)
381	a. 국가 간의, 국제적인	i		13
382	adv. 그 이후 prep. 이후에 conj. ~한 후에	s		5
383	p. ~안에 들어오다	c		8 (p.)
384	a. 타당한, 공정한 n. 박람회, 전시회	f		4
385	p. ~중 하나	o		5 (p.)
386	adv. 결국	e		10
387	adv. 아무리 ~일 지라도; 그러나, 하지만	h		7
388	p. 그저 그렇다	s		4 (p.)
389	n. 감정, 정서, 감동	e		7
390	a. 불법의, 위법의, 비합법적인	i		7

Day 14

391	review	[rɪˈvjuː]	n. 재검토, 재조사; 재검토하다
392	select	[sɪˈlekt]	v. 선택하다 a. 선택된
393	effect	[ɪˈfekt]	n. 효과, 영향; 결과
394	because of		p. ~때문에
395	environment	[ɪnˈvaɪ.rən.mənt]	n. 환경, 주변환경, 주위상황
396	iron	[áiərn]	n. 철, 쇠; 다리미
397	happen	[ˈhæp.ən]	v. 일어나다
398	contain	[kənˈteɪn]	v. 포함하다, 담고 있다
399	sight	[saɪt]	n. 시력, 보기
400	symphony	[ˈsɪm.fə.ni]	n. 함께 소리 내는 것(화음), 교향곡
401	effort	[ˈef.ət]	n. 노력, 수고, 역작
402	case by case		p. 경우에 따라
403	unlike	[ʌnˈlaɪk]	a. ~을 닮지 않고, 닮지 않은
404	quality	[ˈkwɒl.ə.ti]	n. 양질의 특성
405	quite		adv. 꽤, 상당히
406	throat	[θrəʊt]	n. 목구멍, 목
407	rare	[reər]	a. 드문, 진기한; 살짝 익힌
408	garage	[gərɑ́ːdʒ]	n. 차고, 주차장, 정비소
409	mine	[maɪn]	n. 광산; 나의 것
410	license	[láisəns]	n. 면허(증)
411	tight	[taɪt]	a. 꽉 끼는, 여유가 없는; 인색한; 확실히
412	hanger	[hǽŋər]	n. 옷걸이
413	similar	[ˈsɪm.ɪ.lər]	a. 유사한, 동일한
414	concept	[ˈkɒn.sept]	n. 개념, 생각, 구상
415	calm down		p. ~을 진정시키다
416	local	[ˈləʊ.kəl]	a. 한 장소의
417	lap	[læp]	n. 무릎
418	restroom	[ˈrestruːm]	n. (공공장소의) 화장실
419	borrow	[ˈbɒr.əʊ]	v. 빌리다
420	rainforest	[ˈreɪn.fɒr.ɪst]	n. (열대) 우림

Day 14

번호	영어	한글
391	review	
392	select	
393	effect	
394	because of	
395	environment	
396	iron	
397	happen	
398	contain	
399	sight	
400	symphony	
401	effort	
402	case by case	
403	unlike	
404	quality	
405	quite	

Day 14

번호	한글	영어	글자수
406	n. 목구멍, 목	t	6
407	a. 드문, 진기한; 살짝 익힌	r	4
408	n. 차고, 주차장, 정비소	g	6
409	n. 광산; 나의 것	m	4
410	n. 면허(증)	l	7
411	a. 꽉 끼는, 여유가 없는; 인색한; 확실히	t	5
412	n. 옷걸이	h	6
413	a. 유사한, 동일한	s	7
414	n. 개념, 생각, 구상	c	7
415	p. ~을 진정시키다	c	8 (p.)
416	a. 한 장소의	l	5
417	n. 무릎	l	3
418	n. (공공장소의) 화장실	r	8
419	v. 빌리다	b	6
420	n. (열대) 우림	r	10

Day 15

421	backward	[ˈbæk.wəd]	a. 뒤쪽의, 후방의; 낙후된
422	storm	[stɔ:rm]	n. 폭풍, 호우, 강타
423	later	[ˈleɪ.tər]	adv. 나중에, 후에
424	nearly	[ˈnɪə.li]	adv. 거의
425	script	[skrɪpt]	n. 대본, 원고
426	allow	[əˈlaʊ]	v. 허락하다, 용납하다
427	due to N		p. ~ 때문에
428	downtown	[ˌdaʊnˈtaʊn]	a. 시내의, 중심가의
429	knit	[nɪt]	v. 결속하다, 뜨개질하다 n. 니트
430	in front of		p. ~의 앞에
431	major	[ˈmeɪ.dʒər]	a. 큰, 대다수의, 주요한 n. 전공 v. 전공하다
432	continue	[kənˈtɪn.ju:]	v. 계속하다, 다시 시작하다
433	display	[dɪˈspleɪ]	v. 드러내다, 전시하다, 과시하다 n. 전시
434	footprint	[ˈfʊt.prɪnt]	n. 발자국
435	reply	[rɪˈplaɪ]	v. 답장하다, 대답하다; n. 답장, 대답, 답변
436	factor	[ˈfæk.tər]	n. 요소, 요인
437	origin	[ˈɒr.ɪ.dʒɪn]	n. 기원, 유래; 출신
438	endless	[ˈend.ləs]	a. 끝없는, 무한한
439	chase	[tʃeɪs]	v. 쫓다, 추구하다 n. 추적
440	celebrate	[ˈsel.ə.breɪt]	v. 축하하다, 경축하다, 거행하다
441	friendly	[ˈfrend.li]	a. 친절한
442	document	[ˈdɒk.jə.mənt]	n. 문서
443	type	[taɪp]	n. 유형, 형태
444	skillfully	[ˈskɪl.fəl.i]	능숙하게, 솜씨 있게
445	eat out		p. 외식하다
446	billion	[ˈbɪl.jən]	n. 십 억
447	pole	[poʊl]	n. 장대, 긴 막대기; 극, 전극
448	by chance		p. 어쩌다가, 우연히
449	bit	[bɪt]	a. 조금, 약간; 잠깐
450	government	[ˈgʌv.ən.mənt]	n. 정부, 정권, 행정

Day 15

번호	영어	한글
421	backward	
422	storm	
423	later	
424	nearly	
425	script	
426	allow	
427	due to N	
428	downtown	
429	knit	
430	in front of	
431	major	
432	continue	
433	display	
434	footprint	
435	reply	

Day 15

번호	한글	영어	글자수
436	n. 요소, 요인	f	6
437	n. 기원, 유래; 출신	o	6
438	a. 끝없는, 무한한	e	7
439	v. 쫓다, 추구하다 n. 추적	c	5
440	v. 축하하다, 경축하다, 거행하다	c	9
441	a. 친절한	f	8
442	n. 문서	d	8
443	n. 유형, 형태	t	4
444	능숙하게, 솜씨 있게	s	10
445	p. 외식하다	e	6 (p.)
446	n. 십 억	b	7
447	n. 장대, 긴 막대기; 극, 전극	p	4
448	p. 어쩌다가, 우연히	b	8 (p.)
449	a. 조금, 약간; 잠깐	b	3
450	n. 정부, 정권, 행정	g	10

Day 16

451	pedal	[ˈped.əl]	a. 발의 n. 발판
452	mysterious	[mɪˈstɪə.ri.əs]	a. 이해하기 힘든, 신비한
453	fever	[ˈfiː.vər]	n. 열, 흥분
454	underground	[ˌʌn.dəˈɡraʊnd]	a. 땅 속, 지하의; 지하에
455	sink	[sɪŋk]	v. 가라앉다, 내려앉다, 침몰시키다
456	order	[ˈɔː.dər]	n. 명령; 질서, 순서; v. 명령하다; 주문하다
457	nature	[ˈneɪ.tʃər]	n. 자연; 성질, 천성
458	method	[ˈmeθ.əd]	n. 방법, 방식, 체계, 질서
459	elder	[ˈel.dər]	a. 나이가 더 많은 n. 손윗사람, 연장자
460	a number of		p. 몇몇의, 여러, 많은
461	upset	[ʌpˈset]	a. 화난 v. 화나게 하다
462	graduate	[ˈɡrædʒ.u.ət]	v. 졸업하다 n. 졸업생
463	exact	[ɪɡˈzækt]	a. 정확한, 정밀한
464	cry out		p. 큰 소리로 외치다
465	devil	[dévl]	n. 악마
466	seek	[siːk]	v. 찾다
467	be covered with		p. ~로 덮이다
468	crash	[kræʃ]	n. 사고; v. 충돌하다, 추락하다
469	besides	[bɪˈsaɪdz]	adv. 외에, 게다가, 뿐만 아니라
470	backyard	[bæˈkjaˌrd]	n. 뒷마당, 뒤뜰
471	official	[əˈfɪʃ.əl]	a. 공식적인, 공무상의; 공무원
472	private	[ˈpraɪ.vət]	a. 개인적인, 사적인; 비밀의
473	chest	[tʃest]	n. 가슴
474	worried	[ˈwʌr.id]	a. 걱정하는
475	engineer	[ˌen.dʒɪˈnɪər]	n. 기사, 기술자, 수리공; 제작하다
476	activity	[ækˈtɪv.ə.ti]	n. 활동, 행동
477	leave for		p. ~를 향해 떠나다
478	stripe	[straɪp]	n. 줄무늬
479	erase	[ɪˈreɪz]	v. 지우다
480	medic	[médik]	n. 의료진, 의대생, 의사, 위생병

Day 16

번호	영어	한글
451	pedal	
452	mysterious	
453	fever	
454	underground	
455	sink	
456	order	
457	nature	
458	method	
459	elder	
460	a number of	
461	upset	
462	graduate	
463	exact	
464	cry out	
465	devil	

Day 16

번호	한글	영어	글자수
466	v. 찾다	s	4
467	p. ~로 덮이다	b	13 (p.)
468	n. 사고; v. 충돌하다, 추락하다	c	5
469	adv. 외에, 게다가, 뿐만 아니라	b	7
470	n. 뒷마당, 뒤뜰	b	8
471	a. 공식적인, 공무상의; 공무원	o	8
472	a. 개인적인, 사적인; 비밀의	p	7
473	n. 가슴	c	5
474	a. 걱정하는	w	7
475	n. 기사, 기술자, 수리공; 제작하다	e	8
476	n. 활동, 행동	a	8
477	p. ~를 향해 떠나다	l	8 (p.)
478	n. 줄무늬	s	6
479	v. 지우다	e	5
480	n. 의료진, 의대생, 의사, 위생병	m	5

Day 17

481	wheel	[wiːl]	n. 바퀴
482	setting	[ˈset.ɪŋ]	n. 설정
483	shape	[ʃeɪp]	n. 모양, 형태, 형; 형성하다
484	fine	[faɪn]	n. 벌금 a. 좋은; 촘촘한; 화창한, 섬세한
485	fit	[fɪt]	v. 맞다, 맞추다, 어울리다 a. 건강한, 적합한
486	each other		p. 서로
487	patient	[ˈpeɪ.ʃənt]	n. 환자 a. 인내하는, 참을성 있는, 끈기있는
488	poet	[póuit]	n. 시인
489	original	[əˈrɪdʒ.ən.əl]	a. 원래의
490	explain	[ɪkˈspleɪn]	v. 설명하다, 이유를 대다
491	fall	[fɔːl]	v. 떨어지다 n. 가을
492	lecture	[ˈlek.tʃər]	v. 강의하다; 훈계하다, n. 강의, 꾸지람
493	twin	[twɪn]	n. 쌍둥이 중에 하나
494	recommend	[ˌrek.əˈmend]	v. 권하다, 추천하다
495	automatic	[ˌɔː.təˈmæt.ɪk]	a. 자동의; 무의식적인
496	justice	[ˈdʒʌs.tɪs]	n. 맹세, 정의
497	neither	[níːðər, nái-]	adv. ~도 또한 아니다
498	eastern	[íːstərn]	a. 동부의, 동쪽의, 동양의
499	parade	[pəˈreɪd]	n. 행진, 퍼레이드 v. 행진하다
500	logic	[ˈlɒdʒ.ɪk]	a. 말이 되는, 논리적인
501	complete	[kəmˈpliːt]	v. 완성하다; a. 완성한
502	recent	[ˈriː.sənt]	a. 최근의
503	dynasty	[ˈdɪn.ə.sti]	n. 힘, 왕조, 명문가
504	certain	[ˈsɜː.tən]	a. 확실한
505	value	[ˈvæl.juː]	n. 가치 a. 가치가 있는
506	mark	[mɑːk]	n. 흔적; 채점 v. 표시하다
507	talk about		p. ~에 관해 말하다, 이야기하다
508	invitation	[ˌɪn.vɪˈteɪ.ʃən]	n. 초대, 초청
509	lack	[læk]	n. 부족, 결핍 v. 부족하다
510	forgive	[fəˈgɪv]	v. 용서하다, (빚 등을) 면제해주다

Day 17

번호	영어	한글
481	wheel	
482	setting	
483	shape	
484	fine	
485	fit	
486	each other	
487	patient	
488	poet	
489	original	
490	explain	
491	fall	
492	lecture	
493	twin	
494	recommend	
495	automatic	

Day 17

번호	한글	영어	글자수
496	n. 맹세, 정의	j	7
497	adv. ~도 또한 아니다	n	7
498	a. 동부의, 동쪽의, 동양의	e	7
499	n. 행진, 퍼레이드 v. 행진하다	p	6
500	a. 말이 되는, 논리적인	l	5
501	v. 완성하다; a. 완성한	c	8
502	a. 최근의	r	6
503	n. 힘, 왕조, 명문가	d	7
504	a. 확실한	c	7
505	n. 가치 a. 가치가 있는	v	5
506	n. 흔적; 채점 v. 표시하다	m	4
507	p. ~에 관해 말하다, 이야기하다	t	9 (p.)
508	n. 초대, 초청	i	10
509	n. 부족, 결핍 v. 부족하다	l	4
510	v. 용서하다, (빚 등을) 면제해주다	f	7

Day 18

511	delete	[dilí:t]	v. 지우다, 삭제하다
512	delivery	[dɪˈlɪv.ər.i]	n. 배달, (화물) 인도
513	disappointed	[dìsəpóintid]	a. 실망한, 낙담한
514	race	[reɪs]	n. 경주, 경마; 인종, 씨족 v. 경주하다
515	rate	[reɪt]	n. 비율, 속도; v. 평가하다
516	breath	[breθ]	n. 입김, 숨, 조금, 기미
517	increase	[ɪnˈkri:s]	v. 늘다, 늘리다, 증가
518	near	[niər]	a. 가까운 adv. 가까이에
519	pick up		p. ~을 집어 들다, 구매하다
520	attack	[əˈtæk]	v. 말뚝을 박다, 착수하다, 공격(하다)
521	journal	[ˈdʒɜ:.nəl]	n. 일지
522	communicate	[kəˈmju:.nɪ.keɪt]	v. 전달하다, 의사소통하다
523	fountain	[ˈfaʊn.tɪn]	n. 분수
524	bring A to B		p. A를 B로 데려오다
525	site	[saɪt]	n. 위치, 장소
526	poison	[ˈpɔɪ.zən]	n. 독약
527	organization	[ˌɔ:.gən.aɪˈzeɪ.ʃən]	n. 조직, 단체, 협회
528	blank	[blæŋk]	a. 빈 n. 빈칸, 여백
529	journey	[ˈdʒɜ:.ni]	n. (며칠 걸리는) 여행, 여정
530	solar	[ˈsəʊ.lər]	태양의
531	forward	[ˈfɔ:.wəd]	adv. 먼 방향으로, 앞으로 a. 앞으로 가는
532	require	[rɪˈkwaɪər]	v. 필요로 하다; 요구하다, 규정하다
533	foreigner	[ˈfɒr.ə.nər]	n. 외국인, 외래품, 외국선
534	deal	[di:l]	v. 거래하다; (카드) 돌리다
535	sound like		p. ~처럼 들리다, ~인 것 같다
536	bond	[bɒnd]	n. 결속, 유대; 채권; 접착제
537	bounce	[baʊns]	v. 튀다
538	balance	[ˈbæl.əns]	n. 균형; 잔고, 잔액; 저울 v. 균형을 유지하다
539	semicircle	[ˈsem.iˌsɜ:.kəl]	n. 원의 절반(반원)
540	explore	[ɪkˈsplɔ:r]	v. 탐험하다, 탐사하다

Day 18

번호	영어	한글
511	delete	
512	delivery	
513	disappointed	
514	race	
515	rate	
516	breath	
517	increase	
518	near	
519	pick up	
520	attack	
521	journal	
522	communicate	
523	fountain	
524	bring A to B	
525	site	

Day 18

번호	한글	영어		글자수
526	n. 독약	p		6
527	n. 조직, 단체, 협회	o		12
528	a. 빈 n. 빈칸, 여백	b		5
529	n. (며칠 걸리는) 여행, 여정	j		7
530	태양의	s		5
531	adv. 먼 방향으로, 앞으로 a. 앞으로 가는	f		7
532	v. 필요로 하다; 요구하다, 규정하다	r		7
533	n. 외국인, 외래품, 외국선	f		9
534	v. 거래하다; (카드) 돌리다	d		4
535	p. ~처럼 들리다, ~인 것 같다	s		9 (p.)
536	n. 결속, 유대; 채권; 접착제	b		4
537	v. 튀다	b		6
538	n. 균형; 잔고, 잔액; 저울 v. 균형을 유지하다	b		7
539	n. 원의 절반(반원)	s		10
540	v. 탐험하다, 탐사하다	e		7

Day 19

541	soap	[soup]	n. 비누; 드라마
542	genre	[ˈʒɑ̃ː.rə]	n. 종류, 유형, (예술 작품의) 경로
543	hike	[haɪk]	v. 도보여행을 하다 n. 도보여행
544	exercise	[ˈek.sə.saɪz]	v. 운동하다, 훈련하다; 행사하다 n. 운동, 훈련
545	punish	[ˈpʌn.ɪʃ]	v. 처벌하다
546	conclusion	[kənˈkluː.ʒən]	n. 결론, 결말
547	Arctic	[ˈɑːk.tɪk]	a. 북극의
548	apology	[əˈpɒl.ə.dʒi]	n. 변명, 사과
549	solution	[səˈluː.ʃən]	n. 해결, 녹임, 용액
550	have a headache		p. 머리가 아프다
551	underwater	[ˌʌn.dəˈwɔː.tər]	a. 물속의, 수중의
552	especially	[ɪˈspeʃ.əl.i]	adv. 특히
553	yet	[jet]	adv. 아직, 그러나, 하지만, 그런데도
554	difficulty	[ˈdɪf.ɪ.kəl.ti]	n. 어려움, 곤경
555	advise	[ədˈvaɪz]	v. 조언하다, 충고하다, 권고하다
556	discover	[dɪˈskʌv.ər]	v. 발견하다
557	moment	[ˈməʊ.mənt]	n. 순간, 때, 시기
558	whole	[həʊl]	a. 전체의
559	president	[ˈprez.ɪ.dənt]	n. 대통령; 회장
560	show up		p. 나타나다
561	feedback	[ˈfiːd.bæk]	n. 의견, 반응
562	examine	[ɪgˈzæm.ɪn]	v. 검사하다, 진찰하다, 조사하다
563	upper	[ˈʌp.ər]	a. ~의 더 위에
564	certainly	[ˈsɜː.tən.li]	adv. 확실히
565	lobby	[lάbi]	n. 로비 v. 청원하다, 영향력을 행사하다
566	taste	[teɪst]	n. 맛 v. ~한 맛이 나다
567	broad	[brɔːd]	a. 넓은; 넓이가 ~인
568	opportunity	[ˌɒp.əˈtʃuː.nə.ti]	n. 기회, 호기
569	source	[sɔːs]	n. 근원, 출처, 원천; 원인; 자료
570	bake	[beik]	v. 빵을 굽다

Day 19

번호	영어	한글
541	soap	
542	genre	
543	hike	
544	exercise	
545	punish	
546	conclusion	
547	Arctic	
548	apology	
549	solution	
550	have a headache	
551	underwater	
552	especially	
553	yet	
554	difficulty	
555	advise	

Day 19

번호	한글	영어	글자수
556	v. 발견하다	d	8
557	n. 순간, 때, 시기	m	6
558	a. 전체의	w	5
559	n. 대통령; 회장	p	9
560	p. 나타나다	s	6 (p.)
561	n. 의견, 반응	f	8
562	v. 검사하다, 진찰하다, 조사하다	e	7
563	a. ~의 더 위에	u	5
564	adv. 확실히	c	9
565	n. 로비 v. 청원하다, 영향력을 행사하다	l	5
566	n. 맛 v. ~한 맛이 나다	t	5
567	a. 넓은; 넓이가 ~인	b	5
568	n. 기회, 호기	o	11
569	n. 근원, 출처, 원천; 원인; 자료	s	6
570	v. 빵을 굽다	b	4

Day 20

571	once	[wʌns]	adv. 한 번, 한 차례
572	comfort	[ˈkʌm.fət]	v. 위로(하다), 안락(하게 하다); n. 편안함
573	form	[fɔːm]	n. 형태, 형식, 양식 v. 구성하다, 형성하다
574	neat	[niːt]	a. 정돈된, 깔끔한
575	all kinds of		p. 모든 종류의
576	western	[ˈwes.tən]	a. 서쪽의, 서부의
577	sometime	[ˈsʌm.taɪm]	adv. 이전에; 언젠가
578	measure	[méʒər]	v. 측정하다, 평가하다, 재다; 척도, 측정(량)
579	sketch	[sketʃ]	n. 스케치, 촌극, 개요 v. 스케치하다
580	fiction	[ˈfɪk.ʃən]	n. 소설; 허구
581	tax	[tæks]	n. 세금 v. 과세하다
582	agree	[əˈgriː]	v. 동의하다; 승낙하다; 일치하다
583	support	[səˈpɔːt]	v. 지원하다, 지지하다, 뒷받침하다
584	cause	[kɔːz]	n. 원인, 이유 v. 야기하다, 초래하다
585	entitle	[ɪnˈtaɪ.təl]	v. 제목을 붙이다
586	be famous for		p. ~로 유명한, 알려진
587	such	[səʧ]	a. ~같은, 그러한, 이러한
588	selective	[sɪˈlek.tɪv]	선택적인, 선별적인
589	salary	[ˈsæl.ər.i]	n. 급여, 봉급
590	chart	[tʃɑːt]	n. 도표, 표, 차트 v. 기록하다
591	get up		p. 일어나다
592	valuable	[ˈvæl.jə.bəl]	a. 귀중한, 값비싼
593	modern	[ˈmɒd.ən]	a. 현대의, 근대의
594	put A into B		p. A를 B에 넣다, A를 B로 옮기다
595	file	[faɪl]	n. 파일; v. (서류를) 정리하다; 제출하다
596	access	[ˈæk.ses]	n. 접근, 접속, 출입
597	stop -ing		p. ~하던 것을 멈추다
598	scream	[skriːm]	v. 비명을 지르다, 삑 울리다
599	myth	[mɪθ]	n. 신화, 근거 없는 믿음, 잘못된 통념
600	mixture	[ˈmɪks.tʃər]	n. 혼합물, 혼합

번호	영어	한글
571	once	
572	comfort	
573	form	
574	neat	
575	all kinds of	
576	western	
577	sometime	
578	measure	
579	sketch	
580	fiction	
581	tax	
582	agree	
583	support	
584	cause	
585	entitle	

Day 20

번호	한글	영어	글자수
586	p. ~로 유명한, 알려진	b	11 (p.)
587	a. ~같은, 그러한, 이러한	s	4
588	선택적인, 선별적인	s	9
589	n. 급여, 봉급	s	6
590	n. 도표, 표, 차트 v. 기록하다	c	5
591	p. 일어나다	g	5 (p.)
592	a. 귀중한, 값비싼	v	8
593	a. 현대의, 근대의	m	6
594	p. A를 B에 넣다, A를 B로 옮기다	p	9 (p.)
595	n. 파일; v. (서류를) 정리하다; 제출하다	f	4
596	n. 접근, 접속, 출입	a	6
597	p. ~하던 것을 멈추다	s	8 (p.)
598	v. 비명을 지르다, 삑 울리다	s	6
599	n. 신화, 근거 없는 믿음, 잘못된 통념	m	4
600	n. 혼합물, 혼합	m	7

Day 21

601	benefit	[ˈben.ɪ.fɪt]	n. 이익 v. 이익을 얻다, 이익을 주다
602	at the same time		p. 동시에
603	among	[əmʌŋ]	prep. (셋 이상) 사이에, 중에
604	lift	[lift]	v. 들어 올리다, 올리다; 해제하다
605	champ		n. 챔피언 v. 우적우적 먹다
606	curve	[kɜːv]	n. 곡선 v. 곡선으로 나아가다
607	tag	[tæg]	n. 꼬리표 v. 꼬리표를 붙이다
608	give up		p. 포기하다, 그만두다, 양보하다
609	within		prep. ~안에, ~이내에
610	respond	[rɪˈspɒnd]	v. 응답하다, 대응하다
611	ability	[əˈbɪl.ə.ti]	n. 능력
612	location	[ləʊˈkeɪ.ʃən]	n. 장소, 위치
613	grammar	[græmər]	n. 문법
614	narrate	[nəˈreɪt]	v. 이야기하다, 서술하다
615	courage	[ˈkʌr.ɪdʒ]	n. 용기, 담력, 배짱
616	process	[ˈprəʊ.ses]	n. 처리과정 v. 처리하다
617	December	[disémbər]	n. 12월
618	sum	[sʌm]	n. 액수, 합계; 총계하다; 요약하다
619	capital	[ˈkæp.ɪ.təl]	n. 수도, 대문자 a. 자본의
620	wire	[waiər]	n. 철사, 전선 v. (전선을) 연결하다
621	artificial	[ˌɑː.tɪˈfɪʃ.əl]	a. 인공의, 모조의; 거짓된, 꾸며진, 인위의
622	article	[ˈɑː.tɪ.kəl]	n. 물품; 기사
623	bottom	[ˈbɒt.əm]	a. 아래(의), n. 맨 아래, 뒷면
624	about	[əbáut]	prep. ~에 대하여, 약, 정도
625	rescue	[ˈres.kjuː]	v. 구하다, 구조하다 n. 구출
626	normal	[ˈnɔː.məl]	a. 정상적인, 보통의, 평범한 n. 정상, 보통
627	duty free		p. 면세의
628	popular	[ˈpɒp.jə.lər]	a. 인기 있는
629	from A to B		p. A부터 B까지
630	polar	[ˈpəʊ.lər]	a. 극의, 양극의, 북극의, 전극을 가진

Day 21

번호	영어	한글
601	benefit	
602	at the same time	
603	among	
604	lift	
605	champ	
606	curve	
607	tag	
608	give up	
609	within	
610	respond	
611	ability	
612	location	
613	grammar	
614	narrate	
615	courage	

Day 21

번호	한글	영어	글자수
616	n. 처리과정 v. 처리하다	p	7
617	n. 12월	D	8
618	n. 액수, 합계; 총계하다; 요약하다	s	3
619	n. 수도, 대문자 a. 자본의	c	7
620	n. 철사, 전선 v. (전선을) 연결하다	w	4
621	a. 인공의, 모조의; 거짓된, 꾸며진, 인위의	a	10
622	n. 물품; 기사	a	7
623	a. 아래(의), n. 맨 아래, 뒷면	b	6
624	prep. ~에 대하여, 약, 정도	a	5
625	v. 구하다, 구조하다 n. 구출	r	6
626	a. 정상적인, 보통의, 평범한 n. 정상, 보통	n	6
627	p. 면세의	d	8 (p.)
628	a. 인기 있는	p	7
629	p. A부터 B까지	f	8 (p.)
630	a. 극의, 양극의, 북극의, 전극을 가진	p	5

Day 22

631	prison	[ˈprɪz.ən]	n. 감옥, 교도소
632	northern	[ˈnɔː.ðən]	a. 북쪽의, 북쪽에 있는
633	scene	[siːn]	n. 현장, 장면; 소동, 난리
634	stretch	[stretʃ]	v. 쭉 뻗다; 긴장시키다
635	able	[ˈeɪ.bəl]	a. 할 수 있는, 유능한
636	soil	[sɔɪl]	n. 흙, 토양
637	university	[ˌjuː.nɪˈvɜː.sə.ti]	n. 대학(교), 대학 당국
638	please		v. 기쁘게 하다; adv. 제발
639	pour	[pɔːr]	v. 붓다, 마구 쏟아지다
640	pose	[pəʊz]	v. 제기하다, 야기하다; 포즈를 취하다
641	give A up		p. A를 포기하다
642	signature	[ˈsɪg.nə.tʃər]	n. 서명
643	leave	[liːv]	v. 떠나다; 남겨 두다
644	fall in love with		p. ~와 사랑에 빠지다
645	candle	[ˈkæn.dəl]	n. 양초
646	toothache	[ˈtuː.θeɪk]	n. 이가 아픔(치통)
647	electricity	[ˌel.ɪkˈtrɪs.ə.ti]	n. 전기
648	personal	[ˈpɜː.sən.əl]	a. 개인적인, 사적인
649	treat	[triːt]	v. 다루다; 치료하다; 대접하다; 먹거리
650	scandal	[skændl]	n. 추문, 스캔들, 불명예
651	peace	[piːs]	n. 평화; 친목, 화합, 화해
652	a little		p. 조금(의), 소량(의)
653	regular	[ˈreg.jə.lər]	a. 규칙적인, 정식의
654	plate	[pleɪt]	n. 접시
655	language	[ˈlæŋ.gwɪdʒ]	n. 언어
656	court	[kɔːt]	n. 법정, 법원; 법원에 있는 사람들; 경기장
657	be happy with		p. ~로 행복하다
658	laugh at		p. 비웃다, 보고 웃다
659	destroy	[dɪˈstrɔɪ]	v. 파괴하다, 손상시키다
660	intend	[ɪnˈtend]	v. 의도하다

Day 22

번호	영어	한글
631	prison	
632	northern	
633	scene	
634	stretch	
635	able	
636	soil	
637	university	
638	please	
639	pour	
640	pose	
641	give A up	
642	signature	
643	leave	
644	fall in love with	
645	candle	

Day 22

번호	한글	영어		글자수
646	n. 이가 아픔(치통)	t		9
647	n. 전기	e		11
648	a. 개인적인, 사적인	p		8
649	v. 다루다; 치료하다; 대접하다; 먹거리	t		5
650	n. 추문, 스캔들, 불명예	s		7
651	n. 평화; 친목, 화합, 화해	p		5
652	p. 조금(의), 소량(의)	a		7 (p.)
653	a. 규칙적인, 정식의	r		7
654	n. 접시	p		5
655	n. 언어	l		8
656	n. 법정, 법원; 법원에 있는 사람들; 경기장	c		5
657	p. ~로 행복하다	b		11 (p.)
658	p. 비웃다, 보고 웃다	l		7 (p.)
659	v. 파괴하다, 손상시키다	d		7
660	v. 의도하다	i		6

Day 23

661	upstairs	[ʌpstέərz]	adv. 위층에서, 위층으로
662	annually	[ˈæn.ju.ə.li]	adv. 해마다, 매년
663	career	[kəˈrɪər]	n. 직업, 경력
664	still	[stil]	adv. 여전히, 아직도, 역시 a. 정지한, 소리 없는
665	put on		p. (의류 등을) 입거나 쓰다
666	pipe	[paip]	p. 파이프, 관, 담뱃대
667	beginner	[bigínər]	n. 초보자, 초심자
668	medicine	[ˈmed.ɪ.sən]	n. 약, 약품
669	bet	[bet]	v. ~에 걸다 n. 내기
670	see a doctor		p. 진찰을 받다
671	object	[ˈɒb.dʒɪkt]	n. 목표, 물체, 대상/목적어; ~에 반대하다
672	apologize	[əˈpɒl.ə.dʒaɪz]	v. 사과하다
673	dot	[dat]	n. 점 v. 점을 찍다
674	publish	[ˈpʌb.lɪʃ]	v. 출판하다; 발표하다
675	cell	[sel]	n. 독방, 세포, (작은) 칸
676	coast	[kəʊst]	n. 해안; 관성으로 움직이다
677	hill	[hil]	n. 언덕, 산, 경사로
678	crisis	[ˈkraɪ.sɪs]	n. 위기
679	limit	[ˈlɪm.ɪt]	n. 한계 v. 한정하다
680	immediately	[ɪˈmiː.di.ət.li]	adv. 즉시, 바로 인접하여
681	knee	[niː]	n. 무릎
682	arrive at		p. ~에 도착하다
683	nor	[nɔːr]	conj. ~도 또한 아니다
684	remind	[rɪˈmaɪnd]	v. 상기시키다
685	evil	[íːvəl]	a. 사악한, 악랄한 n. 악
686	more than		p. ~보다 많이
687	be ready for		p. ~할 준비가 되다; 기꺼이 ~하다
688	all the time		p. 항상
689	portable	[ˈpɔː.tə.bəl]	휴대용의
690	freeze	[friːz]	v. (몸이) 얼어붙다, 움직이지 않다

Day 23

번호	영어	한글
661	upstairs	
662	annually	
663	career	
664	still	
665	put on	
666	pipe	
667	beginner	
668	medicine	
669	bet	
670	see a doctor	
671	object	
672	apologize	
673	dot	
674	publish	
675	cell	

Day 23

번호	한글	영어	글자수
676	n. 해안; 관성으로 움직이다	c	5
677	n. 언덕, 산, 경사로	h	4
678	n. 위기	c	6
679	n. 한계 v. 한정하다	l	5
680	adv. 즉시, 바로 인접하여	i	11
681	n. 무릎	k	4
682	p. ~에 도착하다	a	8 (p.)
683	conj. ~도 또한 아니다	n	3
684	v. 상기시키다	r	6
685	a. 사악한, 악랄한 n. 악	e	4
686	p. ~보다 많이	m	8 (p.)
687	p. ~할 준비가 되다; 기꺼이 ~하다	b	10 (p.)
688	p. 항상	a	10 (p.)
689	휴대용의	p	8
690	v. (몸이) 얼어붙다, 움직이지 않다	f	6

Day 24

691	a pair of		p. 한 쌍[켤레]의
692	climate	[kláimit]	n. 기후, 분위기
693	aid	[eɪd]	v. 돕다; n. 도움, 원조
694	wealth	[welθ]	n. 부
695	male	[meɪl]	n. 남자; 수컷 a. 웅성의
696	possible	[ˈpɒs.ə.bəl]	a. 힘으로 할 수 있는, 가능한, 일어날 수 있는
697	stick	[stɪk]	v. 찌르다; 붙이다 n. 나뭇가지
698	fur	[fɜːr]	n. 모피, 털
699	transport	[ˈtræn.spɔːt]	v. 수송하다
700	character	[ˈkær.ək.tər]	n. 특징, 성격; 인물, 캐릭터
701	recipe	[ˈres.ɪ.pi]	n. 조리법, 요리법; 수단, 비결
702	tire	[taɪər]	n. (자동차의) 타이어
703	be tired of		p. ~에 싫증이 나다
704	adventure	[ədˈven.tʃər]	n. 모험 v. 모험을 걸어보다, 과감히 ~해보다
705	firm	[fɜːm]	a. 확실한, 확고한, 당당한 n. 회사
706	quarter	[ˈkwɔː.tər]	n. 4분의 1, 15분, 25센트; 거처
707	bullet	[ˈbʊl.ɪt]	n. 총알
708	congratulate	[kənˈɡrætʃ.ə.leɪt]	v. 축하하다, 축하의 말을 하다; 축하
709	climb	[klaim]	v. 오르다, 등반하다, 상승하다
710	be curious about		p. ~을 궁금해하다
711	scroll	[skroʊl]	n. 두루마리 v. 두루마리에 쓰다
712	behavior	[bɪˈheɪ.vjə]	n. 행동, 처신
713	terrible	[ˈter.ə.bəl]	a. 무서운, 끔직한; 심한, 대단한
714	narrator	[nəˈreɪ.tər]	n. 내레이터, 서술자
715	fold	[fəʊld]	v. 접다 n. 주름
716	reason	[ˈriː.zən]	n. 이유
717	amazing	[əˈmeɪ.zɪŋ]	a. 놀라운, 굉장한
718	centimeter	[seˈntəmiˌtər]	n. 1/100미터(길이의 단위)
719	cough	[kɔːf]	n. 기침, 콜록
720	decide	[dɪˈsaɪd]	v. 결심하다

Day 24

번호	영어	한글
691	a pair of	
692	climate	
693	aid	
694	wealth	
695	male	
696	possible	
697	stick	
698	fur	
699	transport	
700	character	
701	recipe	
702	tire	
703	be tired of	
704	adventure	
705	firm	

Day 24

번호	한글	영어	글자수
706	n. 4분의 1, 15분, 25센트; 거처	q	7
707	n. 총알	b	6
708	v. 축하하다, 축하의 말을 하다; 축하	c	12
709	v. 오르다, 등반하다, 상승하다	c	5
710	p. ~을 궁금해하다	b	14 (p.)
711	n. 두루마리 v. 두루마리에 쓰다	s	6
712	n. 행동, 처신	b	8
713	a. 무서운, 끔직한; 심한, 대단한	t	8
714	n. 내레이터, 서술자	n	8
715	v. 접다 n. 주름	f	4
716	n. 이유	r	6
717	a. 놀라운, 굉장한	a	7
718	n. 1/100미터(길이의 단위)	c	10
719	n. 기침, 콜록	c	5
720	v. 결심하다	d	6

Day 25

721	practice	[ˈpræk.tɪs]	n. 실행, 연습, 관행 v.연습하다, 실습하다
722	in half		p. 절반으로
723	fall asleep		p. 잠들다
724	generation	[ˌdʒen.əˈreɪ.ʃən]	n. 발생, 세대, 자손
725	go out		p. 밖으로 나가다, 외출하다
726	deliver	[dɪˈlɪv.ər]	v. 배달하다; 강연하다; 분만시키다; 이행하다
727	duty	[ˈdʒuː.ti]	n. 의무, 세금
728	prepare	[prɪˈpeər]	v. 준비하다
729	every time		p. ~할 때마다
730	pace	[peɪs]	n. 속도; 걸음, 보폭
731	a couple of		p. 둘의, 몇몇의
732	tradition	[trəˈdɪʃ.ən]	n. 전통, 관습
733	relationship	[rɪˈleɪ.ʃən.ʃɪp]	n. 관계
734	judge	[dʒʌdʒ]	n. 판사, 심판, 심사위원 v. 판결하다, 심판하다
735	education	[ˌedʒ.ʊˈkeɪ.ʃən]	n. 교육
736	creative	[kriˈeɪ.tɪv]	a. 창조적인, 창의적인
737	congratulation	[kənˌgrætʃ.əˈleɪ.ʃən]	n. 축하, 경하, 경축
738	millionaire	[ˌmɪl.jəˈneər]	n. 백만장자, 큰 부자
739	look at		p. ~을 보다, 바라보다
740	instead	[ɪnˈsted]	adv. 대신에, 그보다도
741	huge	[hjuːdʒ]	a. 큰, 거대한, 엄청난
742	search	[sɜːtʃ]	v. 검색하다
743	luxury	[ˈlʌk.ʃər.i]	n. 사치(품); 쾌락
744	be excited about		p. ~에 흥분하다, 들뜨다
745	make noise		p. 떠들다, 소란을 피우다
746	stand up		p. 서다
747	go for a walk		p. 산책하러 가다
748	neighbor	[ˈneɪ·bər]	n. 이웃
749	match	[mætʃ]	n. 경기, 시합; 성냥 v. 대등하다, 짝을 이루다
750	zone	[zəʊn]	n. 지역, 지대, 지구 v. 구분하다

Day 25

번호	영어	한글
721	practice	
722	in half	
723	fall asleep	
724	generation	
725	go out	
726	deliver	
727	duty	
728	prepare	
729	every time	
730	pace	
731	a couple of	
732	tradition	
733	relationship	
734	judge	
735	education	

Day 25

번호	한글	영어	글자수
736	a. 창조적인, 창의적인	c	8
737	n. 축하, 경하, 경축	c	14
738	n. 백만장자, 큰 부자	m	11
739	p. ~을 보다, 바라보다	l	6 (p.)
740	adv. 대신에, 그보다도	i	7
741	a. 큰, 거대한, 엄청난	h	4
742	v. 검색하다	s	6
743	n. 사치(품); 쾌락	l	6
744	p. ~에 흥분하다, 들뜨다	b	14 (p.)
745	p. 떠들다, 소란을 피우다	m	9 (p.)
746	p. 서다	s	7 (p.)
747	p. 산책하러 가다	g	10 (p.)
748	n. 이웃	n	8
749	n. 경기, 시합; 성냥 v. 대등하다, 짝을 이루다	m	5
750	n. 지역, 지대, 지구 v. 구분하다	z	4

Day 26

751	turn off		p. 불을 끄다; (수도·가스 등을) 잠그다
752	salty	[sɔ́:lti]	a. 짠, 소금기 있는
753	route	[ru:t]	n. 길; 항로, 노선; 방법
754	recycle	[ˌriːˈsaɪ.kəl]	v. ~를 재생하다, 재이용하다
755	humorous	[ˈhjuː.mə.rəs]	a. 익살스러운
756	result	[rɪˈzʌlt]	v. 결과, 결말
757	anniversary	[ˌæn.ɪˈvɜː.sər.i]	n. 기념일 a. 기념일의
758	bite	[baɪt]	v. 물다
759	therefore	[ðɛ́ərfɔ̀:r]	adv. 따라서, 그러므로, 그래서
760	saint	[seint]	n. 성인, 성자
761	string	[strɪŋ]	n. 끈, 줄 v. 줄로 묶다
762	look for		p. ~을 찾다
763	soul	[soul]	n. 영혼, 마음, 정신
764	subject	[ˈsʌb.dʒekt]	n. 주제; 학과; 주어; 피실험자
765	a lot		p. 매우, (비교급 앞에서) 훨씬, 많은 것
766	although	[ɔːlðóu]	conj. 비록 ~이지만
767	most of		p. ~의 대부분
768	sheet	[ʃiːt]	n. 판, 시트, 종이, 표
769	equal	[ˈiː.kwəl]	a. 동등한 v. 같다
770	solve	[sɒlv]	v. 풀다, 해결하다
771	while	[waɪl]	conj. 동안에, 반면에, ~임에도 불구하고
772	ball	[bɔ:l]	n. 볼; 무도회, 댄스 파티 v. 던지다
773	make a call		p. 전화하다
774	bow	[baʊ]	v. 머리를 숙이다, 절[인사]하다
775	examination	[ɪɡˌzæm.ɪˈneɪ.ʃən]	n. 조사, 검토; 진찰, 검사
776	more and more		p. 점점 더(많이)
777	block	[blɒk]	v. 막다
778	ought to do		p. ~해야 한다
779	furniture	[ˈfɜː.nɪ.tʃər]	n. 가구
780	fashionable	[ˈfæʃ.ən.ə.bəl]	a. 유행하는, 상류사회의, 사교계의

Day 26

번호	영어	한글
751	turn off	
752	salty	
753	route	
754	recycle	
755	humorous	
756	result	
757	anniversary	
758	bite	
759	therefore	
760	saint	
761	string	
762	look for	
763	soul	
764	subject	
765	a lot	

Day 26

번호	한글	영어	글자수
766	conj. 비록 ~이지만	a	8
767	p. ~의 대부분	m	6 (p.)
768	n. 판, 시트, 종이, 표	s	5
769	a. 동등한 v. 같다	e	5
770	v. 풀다, 해결하다	s	5
771	conj. 동안에, 반면에, ~임에도 불구하고	w	5
772	n. 볼; 무도회, 댄스 파티 v. 던지다	b	4
773	p. 전화하다	m	9 (p.)
774	v. 머리를 숙이다, 절[인사]하다	b	3
775	n. 조사, 검토; 진찰, 검사	e	11
776	p. 점점 더(많이)	m	11 (p.)
777	v. 막다	b	5
778	p. ~해야 한다	o	9 (p.)
779	n. 가구	f	9
780	a. 유행하는, 상류사회의, 사교계의	f	11

Day 27

781	contact	[ˈkɒn.tækt]	접촉; 인맥; 연락하다
782	either	[ˈaɪ.ðər]	a. (둘 중) 어느 하나의; (부정문) ~도 그렇다
783	harm	[hɑːm]	v. 해치다; 해를 끼치다; 손상시키다
784	responsible	[ɪnˈtaɪ.təl]	v. 제목을 붙이다
785	silence	[sáiləns]	n. 침묵
786	turn right		p. 우회전을 하다
787	skillful	[ˈskɪl.fəl]	a. 숙련된, 능숙한
788	theme	[θiːm]	n. 주제, 테마
789	author	[ˈɔː.θər]	n. 저자
790	trend	[trend]	n. 동향, 추세
791	dialogue	[ˈdaɪ.ə.lɒg]	n. 대화
792	photographer	[fəˈtɒg.rə.fər]	n. 사진작가, 사진사
793	in the future		p. 미래에, 앞으로
794	decorate	[N/A]	v. 장식하다; 훈장을 수여하다
795	behind	[biháind]	prep. 바로 뒤에
796	movement	[ˈmuːv.mənt]	n. 움직임
797	application	[ˌæp.lɪˈkeɪ.ʃən]	n. 응용, 적용; 신청, 신청서, 지원서
798	ask A to do		p. A에게 ~해달라고 부탁하다
799	write down		p. 적어놓다
800	delay	[dɪˈleɪ]	v. 연기하다, 늦추다
801	difficult		a. 어려운, 곤란한
802	produce	[prəˈdʒuːs]	v. 생산하다 n. 농산물
803	deny	[dɪˈnaɪ]	v. 부인하다, 부정하다; 거절하다
804	be good for		p. ~에 유익하다, ~에 적합하다
805	slip	[slɪp]	v. 미끄러지다
806	alien	[ˈeɪ.li.ən]	n. 외국인, 외계인
807	go abroad		p. 외국에 가다, 해외로 가다
808	cafeteria	[ˌkæf.əˈtɪə.ri.ə]	n. 카페테리아, 구내식당
809	chain	[tʃeɪn]	n. 사슬; 구속; 묶다; 일련
810	means	[miːnz]	n. 수단, 방법, 방도

Day 27

번호	영어	한글
781	contact	
782	either	
783	harm	
784	responsible	
785	silence	
786	turn right	
787	skillful	
788	theme	
789	author	
790	trend	
791	dialogue	
792	photographer	
793	in the future	
794	decorate	
795	behind	

Day 27

번호	한글	영어		글자수
796	n. 움직임	m		8
797	n. 응용, 적용; 신청, 신청서, 지원서	a		11
798	p. A에게 ~해달라고 부탁하다	a		8 (p.)
799	p. 적어놓다	w		9 (p.)
800	v. 연기하다, 늦추다	d		5
801	a. 어려운, 곤란한	d		9
802	v. 생산하다 n. 농산물	p		7
803	v. 부인하다, 부정하다; 거절하다	d		4
804	p. ~에 유익하다, ~에 적합하다	b		9 (p.)
805	v. 미끄러지다	s		4
806	n. 외국인, 외계인	a		5
807	p. 외국에 가다, 해외로 가다	g		8 (p.)
808	n. 카페테리아, 구내식당	c		9
809	n. 사슬; 구속; 묶다; 일련	c		5
810	n. 수단, 방법, 방도	m		5

Day 28

811	manage	[ˈmæn.ɪdʒ]	v. 관리하다, 경영하다, 어떻게든 ~해내다
812	drawer	[drɔ:r]	n. 서랍; 수표 발행인
813	junk	[dʒʌŋk]	n. 폐물, 고물; 시시한 것
814	consult	[kənˈsʌlt]	v. 상담하다, 상의하다; 상담, 협의
815	well	[wel]	a. 건강한 adv. 잘 n. 우물
816	for a minute		p. 잠시 동안
817	come from		p. ~의 출신이다, ~에서 나오다, 유래하다
818	pause	[pɔ:z]	v. 잠시 멈추다
819	minimum	[ˈmɪn.ɪ.məm]	n. 최소한도, 최저치 a. 최소한의, 최저의
820	flow	[fləʊ]	v. 흐르다 n. 흐름(도)
821	enough to do		p. ~할 만큼 충분히
822	pure	[pjʊər]	a. 순수한
823	actually	[ˈæk.tʃu.ə.li]	adv. 실제로, 정말로
824	repeat	[rɪˈpi:t]	v. 반복하다; 따라 말하다
825	smooth	[smu:ð]	a. 매끄러운, 부드러운 v. 매끄럽게 하다
826	lever	[ˈli:.vər]	n. 지렛대, 레버; v. 지렛대로 움직이다
827	due	[dju:]	a. ~하기로 되어 있는; 만기가 된, 치러야 할
828	miss	[mɪs]	v. 놓치다
829	address	[əˈdres]	n. 주소, 연설 v. 연설하다; 처리하다, 다루다
830	awake	[əˈweɪk]	a. 잠들지 않은 v. 깨다
831	motivate	[ˈməʊ.tɪ.veɪt]	v. 동기를 부여하다, 동기를 유발시키다
832	medical	[ˈmed.ɪ.kəl]	a. 치료하는, 의학의
833	pot	[pat]	n. 냄비, 솥; 병, 항아리, 통
834	freedom	[fríːdəm]	n. 자유, 석방
835	mop	[mɒp]	n. 대걸레 v. (대걸레로) 닦아내다
836	fusion	[ˈfju:.ʒən]	n. 융합, 결합
837	profile	[ˈprəʊ.faɪl]	n. 옆 얼굴상, 윤곽; 프로필, 인물 소개
838	follow	[ˈfɒl.əʊ]	v. 따라가다, 따라오다; 뒤를 잇다; 취재하다
839	be surprised at		p. ~에 놀라다
840	landmark	[ˈlænd.mɑ:k]	n. 경계표, 주요 지형지물, 랜드마크

Day 28

번호	영어	한글
811	manage	
812	drawer	
813	junk	
814	consult	
815	well	
816	for a minute	
817	come from	
818	pause	
819	minimum	
820	flow	
821	enough to do	
822	pure	
823	actually	
824	repeat	
825	smooth	

Day 28

번호	한글	영어	글자수
826	n. 지렛대, 레버; v. 지렛대로 움직이다	l	5
827	a. ~하기로 되어 있는; 만기가 된, 치러야 할	d	3
828	v. 놓치다	m	4
829	n. 주소, 연설 v. 연설하다; 처리하다, 다루다	a	7
830	a. 잠들지 않은 v. 깨다	a	5
831	v. 동기를 부여하다, 동기를 유발시키다	m	8
832	a. 치료하는, 의학의	m	7
833	n. 냄비, 솥; 병, 항아리, 통	p	3
834	n. 자유, 석방	f	7
835	n. 대걸레 v. (대걸레로) 닦아내다	m	3
836	n. 융합, 결합	f	6
837	n. 옆 얼굴상, 윤곽; 프로필, 인물 소개	p	7
838	v. 따라가다, 따라오다; 뒤를 잇다; 취재하다	f	6
839	p. ~에 놀라다	b	13 (p.)
840	n. 경계표, 주요 지형지물, 랜드마크	l	8

Day 29

841	sour	[saʊər]	a. 신, 시큼한; v. 시어지다
842	burn	[bɜːn]	v. 타오르다, 불에 타다 n. 화상
843	adult	[ˈæd.ʌlt]	n. 성인
844	fix	[fɪks]	고정시키다, 정하다, 고치다
845	breathe	[briːð]	v. 호흡하다, 냄새를 풍기다, 나직이 말하다
846	prize	[praɪz]	n. 상품, 경품
847	need to do		p. ~할 필요가 있다
848	state	[steɪt]	n. 상태, 상황; 국가, 주 v. 진술하다, 말하다
849	boost	[buːst]	n. 격려; 증가 v. 복돋우다; 훔치다
850	abroad	[əˈbrɔːd]	adv. 해외에서, 해외로, 널리; n. 해외, 국외
851	lottery	[ˈlɒt.ər.i]	n. 복권, 로또
852	mechanic	[məˈkæn.ɪk]	n. 기계공, 수리공
853	passport	[pæspɔːrt]	n. 여권, 통행증
854	connect	[kəˈnekt]	vt. 연결하다 / vi. 이어지다 ~with
855	through	[θruː]	prep. ~을 통하여; ~동안, ~내내
856	between A and B		p. A와 B 사이에
857	routine	[ruːˈtiːn]	n. 일상적인 일, 일상; a. 일상적인
858	against	[əˈgenst]	prep. ~에 반대하여; ~에 기대어
859	have to do		p. ~해야 한다, ~하지 않으면 안 된다
860	flash	[flæʃ]	n. 플래시; 불빛, 섬광 v. 번쩍이다
861	knowledge	[ˈnɒl.ɪdʒ]	n. 지식, 알고 잇음
862	grip	[grip]	n. 꽉 잡음, 손잡이, 파악력; v. 꽉 쥐다, 이해하다
863	mobile	[ˈməʊ.baɪl]	a. 움직일 수 있는; 변덕스러운
864	for example		p. 예를 들면
865	aura	[ˈɔː.rə]	n. 기운, 분위기
866	be able to do		p. ~할 수 있다
867	wonder	[ˈwʌn.dər]	v. 놀라게 하다 n. 놀라움, 경이로움
868	have fun		p. 재미있게 놀다
869	early	[ˈɜː.li]	adv. 시간상 이른, 초기의
870	spot	[spɒt]	n. 점; 자리 v. 발견하다

Day 29

번호	영어	한글
841	sour	
842	burn	
843	adult	
844	fix	
845	breathe	
846	prize	
847	need to do	
848	state	
849	boost	
850	abroad	
851	lottery	
852	mechanic	
853	passport	
854	connect	
855	through	

Day 29

번호	한글	영어	글자수
856	p. A와 B 사이에	b	12 (p.)
857	n. 일상적인 일, 일상; a. 일상적인	r	7
858	prep. ~에 반대하여; ~에 기대어	a	7
859	p. ~해야 한다, ~하지 않으면 안 된다	h	8 (p.)
860	n. 플래시; 불빛, 섬광 v. 번쩍이다	f	5
861	n. 지식, 알고 잇음	k	9
862	n. 꽉 잡음, 손잡이, 파악력; v. 꽉 쥐다, 이해하다	g	4
863	a. 움직일 수 있는; 변덕스러운	m	6
864	p. 예를 들면	f	10 (p.)
865	n. 기운, 분위기	a	4
866	p. ~할 수 있다	b	10 (p.)
867	v. 놀라게 하다 n. 놀라움, 경이로움	w	6
868	p. 재미있게 놀다	h	7 (p.)
869	adv. 시간상 이른, 초기의	e	5
870	n. 점; 자리 v. 발견하다	s	4

Day 30

871	presentation	[ˌprez.ənˈteɪ.ʃən]	n. 발표, 제출, 증정; 표현, 제시
872	motive	[ˈməʊ.tɪv]	n. 동기, 자극
873	weigh	[weɪ]	v. 무게를 달다, 체중을 달다; 따져 보다
874	jealous	[ˈdʒel.əs]	a. 질투하는, 부러워하는
875	moonlight	[muˈnlaɪˌt]	n. 달빛 a. 달빛의
876	compare	[kəmˈpeər]	v. 비교하다
877	quantity	[ˈkwɒn.tə.ti]	n. 양, 수량, 분량
878	mild	[maild]	a. 가벼운, 온화한, 순한
879	banner	[ˈbæn.ər]	n. 플래카드, 현수막, 기
880	course	[kɔːs]	진로, 진행, 강의 v. 뒤쫓다, 달리다
881	be busy -ing		p. ~하느라 바쁘다
882	youth	[juːθ]	n. 젊은이, 젊음
883	be good at		p. ~에 능숙하다
884	several	[ˈsev.ər.əl]	a. 몇 개의
885	be afraid of		p. ~을 두려워하다, ~을 경외하다
886	lend	[lend]	v. 빌려주다; 주다, 제공하다
887	chat	[tʃæt]	n. 잡담, 수다 v. 잡담하다
888	legal	[ˈliː.gəl]	a. 법률의, 합법적인
889	memorize	[ˈmem.ə.raɪz]	v. 기억하다, 암기하다
890	waste A in -ing		p. ~하느라 돈[시간]을 쓰다.
891	by oneself		p. 혼자서, 혼자 힘으로
892	vote	[vəʊt]	v. 투표하다
893	unique	[juːˈniːk]	a. 고유한, 유일한, 독특한
894	return	[rɪˈtɜːn]	v. 다시 뒤집다 n. 귀환, 순환
895	merit	[ˈmer.ɪt]	n. 장점; 공적, 공훈 v. ~할 가치가 있다
896	hire	[haɪər]	v. 고용하다; (단기간) 빌리다
897	pack	[pæk]	v. 싸다, 포장하다
898	circumstance	[ˈsɜː.kəm.stɑːns]	n. 환경, 사정, 형편, 상황
899	performance	[pəˈfɔː.məns]	n. 연주, 공연; 성과
900	lawyer	[lɔ́ːjər]	n. 변호사

Day 30

번호	영어	한글
871	presentation	
872	motive	
873	weigh	
874	jealous	
875	moonlight	
876	compare	
877	quantity	
878	mild	
879	banner	
880	course	
881	be busy -ing	
882	youth	
883	be good at	
884	several	
885	be afraid of	

Day 30

번호	한글	영어	글자수
886	v. 빌려주다; 주다, 제공하다	l	4
887	n. 잡담, 수다 v. 잡담하다	c	4
888	a. 법률의, 합법적인	l	5
889	v. 기억하다, 암기하다	m	8
890	p. ~하느라 돈[시간]을 쓰다.	w	12 (p.)
891	p. 혼자서, 혼자 힘으로	b	9 (p.)
892	v. 투표하다	v	4
893	a. 고유한, 유일한, 독특한	u	6
894	v. 다시 뒤집다 n. 귀환, 순환	r	6
895	n. 장점; 공적, 공훈 v. ~할 가치가 있다	m	5
896	v. 고용하다; (단기간) 빌리다	h	4
897	v. 싸다, 포장하다	p	4
898	n. 환경, 사정, 형편, 상황	c	12
899	n. 연주, 공연; 성과	p	11
900	n. 변호사	l	6

Answers.

Day 1

page 4

번호	정답
1	v. 싫어하다, 좋아하지 않다 n. 혐오, 싫어함
2	n. 남, 남쪽, 남부, 남극
3	n. 규모; 등급; 축척, 비율; 저울; 비늘
4	adv. 똑바로, 곧장, 곧바로
5	n. 졸업
6	p. 수백만의
7	v. 살포하다, ~를 뿌리다
8	v. 깨닫다, 실현하다
9	a. 즉시의, 즉각의, 긴급한
10	p. 조금씩, 점차로
11	n. 문제, 어려움, 곤란
12	n. 법, 법칙, 법률
13	n. 연구, 조사 v. 연구하다, 조사하다
14	v. 사라지다
15	a. 개별의, 개인의; 독특한; 개인

page 5

번호	정답
16	keep -ing
17	task
18	go away
19	think about
20	merry
21	freeway
22	at school
23	be full of
24	disagree
25	bar
26	rail
27	core
28	believe in
29	alike
30	sentence

Day 2

page 7

번호	정답
31	n. 여가
32	n. 높이; 키; 고도, 최고, 절정
33	adv. 무작위로
34	n. 들어감, 입장
35	adv. 언젠가
36	p. (습관적으로) 일기를 쓰다
37	n. 사건
38	n. 믿음, 평판
39	p. 어젯밤에
40	n. 쓰레기
41	p. ~하기 위해서
42	a. 복잡한, 복합의; n. 건물 단지, 복합 건물
43	n. 필터, 여과 장치 v. 여과하다, 거르다
44	n. 실패, 실수
45	v. 증가시키다, 기름을 넣다 n. 연료

page 8

번호	정답
46	shorts
47	slice
48	defend
49	one by one
50	come on
51	notice
52	southern
53	bill
54	opinion
55	be going to do
56	enterprise
57	in advance
58	gain
59	symbol
60	brick

Day 3

page 10

번호	정답
61	v. 탈출, 달아나다
62	a. 육체의, 물질의, 신체의; 실물의
63	p. 산책하다
64	a. 영리한, 똑똑한, 재치 있는
65	a. 격식을 차린, 공식적인
66	n. 실험 v. 실험하다
67	v. 이끌다 n. (신문 기사의) 첫머리; 선례
68	v. 아프다
69	n. 모르는 사람
70	a. 사소한, 작은 n. 부전공, 미성년자
71	n. 자물쇠, 잠금장치
72	n. 시내; 흐름
73	v. 증가시키다; 확대되다
74	청중, 관객, 시청자
75	conj. ~할 때마다

page 11

번호	정답
76	favorite
77	another
78	participate
79	wild
80	expect
81	earthquake
82	nowadays
83	move to N
84	raise
85	truth
86	cheer
87	fortunately
88	rule
89	from now on
90	pump

Day 4

page 13

번호	정답
91	a. 불안한, 불편한
92	a. 그 밖의, 다른
93	a. 일반적인; 보편적인 n. 장군
94	a. 침묵을 지키는
95	p. 택시를 타다
96	a. 전형적인, 고전적인
97	n. 정도, 단계; 학위
98	n. 언급 v. 언급하다
99	v. 신뢰하다, 맡기다, 의지하다 n. 신뢰, 의탁
100	v. 걸다, 매달다; 걸리다, 매달리다
101	p. ~대신에
102	놀람; 놀라게 하다
103	v. 싸다. 포장하다; n. 포장지, 랩
104	a. 거친, 고르지 않은; 대중의, 개략적인
105	n. (곤충의) 집, 둥지, 소굴

page 14

번호	정답
106	consider
107	take off
108	of course
109	go -ing
110	kindness
111	either A or B
112	go to bed
113	try to do
114	century
115	host
116	grow up
117	up and down
118	necklace
119	section
120	be from

Day 5

page 16

번호	정답
121	p. 밤새도록
122	v. 강조하다; 주장을 밝히다
123	p. 돈을 벌다
124	a. 완전히, 전적으로
125	n. 여성, 암컷 a. 암성의
126	v. 표현하다 a. 명확한; 급행의
127	p. ~에 도착하다
128	a. 외부의, 여분의, 추가의
129	n. 씨앗 v. 씨를 뿌리다
130	n. 연속; 시리즈
131	n. 캐비닛, 보관장; (정부의) 내각
132	n. 그늘, 응달, 어둠
133	prep. ~하는 동안, ~중에
134	p. 샤워하다, 목욕하다
135	n. 형태, 체제, 구성 방식

page 17

번호	정답
136	paradise
137	horror
138	away
139	except
140	coin
141	gesture
142	take care of
143	run away
144	option
145	get lost
146	maximum
147	hand out
148	shellfish
149	mean
150	coding

Day 6

page 19

번호	정답
151	n. 분실, 상실, 손실
152	n. 리듬, 율동, 변화
153	a. 눈이 먼; 맹목적인 n. 맹인들
154	p. 지난번에
155	v. 모방하다
156	n. 행성
157	p. 버스를 타고
158	v. 교육하다, 가르치다
159	n. 연합, 연맹, (스포츠 경기의) 리그
160	a. 공공의, 일반 대중의
161	v. 구매하다, 취득하다 n. 구매, 취득
162	a. 지루한
163	n. 방어, 수비, 변호
164	n. 이익
165	v. 실패하다

page 20

번호	정답
166	label
167	forget
168	bull
169	exchange
170	photograph
171	weekday
172	silly
173	agency
174	volume
175	closely
176	usually
177	meal
178	expression
179	impression
180	steal

Day 7

page 22

번호	정답
181	n. 백만
182	n. 존경, 경의; 면 v. 존경하다
183	v. 칭찬(하다), 찬양하다
184	n. 힘, 체력, 강점
185	v. 나르다; 지니다; (물품을) 팔다
186	p. 을 확인하다, 점검하다; ~에서 나가다
187	n. 발전, 전진 v. 발전하다, 전진하다
188	n. 암
189	n. 계곡
190	a. 고위의, 상급의; 연장자, 손윗사람
191	v. 둘러싸다, 에워싸다, 포위하다
192	v. 불쾌하다
193	n. 한 부분, 조각
194	n. 정신분석, 광인
195	n. 속임수, 비법, (교묘한) 방법

page 23

번호	정답
196	tune
197	purse
198	there be
199	despite
200	metal
201	harmony
202	pattern
203	track
204	right away
205	negative
206	some of
207	heal
208	contest
209	income
210	military

Day 8

page 25

번호	정답
211	p. 거꾸로, 뒤집혀
212	n. 우리; 새장
213	n. 고안, 방책, 기기, 장치
214	n. 부품, 액세서리
215	adv. 저편에, 너머
216	n. 시, 운문, 우아함
217	n. 아는 것, 지혜, 명언
218	p. ~하고 싶다
219	p. ~에게 말을 걸다, ~와 이야기하다
220	v. 흡연하다
221	n. 성장, 발전
222	v. 제공하다; 시중을 들다, ~에 이바지하다
223	n. 점토
224	p. ~하느라 돈[시간]을 쓰다.
225	n. 경험

page 26

번호	정답
226	helpful
227	clue
228	customer
229	gallery
230	in danger
231	sweat
232	on television
233	on the phone
234	suddenly
235	powder
236	accept
237	in the morning
238	slang
239	situation
240	channel

Day 9

번호	정답
241	n. 보물
242	a. 사회의; 사교상의, 사교적인
243	vi. 눕다; ~인 상태로 있다; 거짓말하다
244	v. 수리하다; 회복하다
245	n. 내용(물), 목차; 용량 v. 만족시키다
246	v. 삽입하다
247	prep. 각, ~마다, ~당, ~에 대하여
248	v. 거르다, 건너뛰다, 생략하다
249	성년(기), 성인(임)
250	p. 곤란에 처하다, 곤경에 빠지다
251	v. 왕복하다
252	a. 날카로운
253	n. 격차
254	n. 위장, 배, 뱃속, 복부
255	v. 발표하다, 알리다

번호	정답
256	a piece of
257	item
258	positive
259	dive
260	chant
261	refund
262	be gone
263	signal
264	gene
265	doubt
266	for a long time
267	any time
268	bump
269	monitor
270	beside

Day 10

번호	정답
271	n. 세부 목록, 세부 사항 v. 상세히 열거하다
272	v. 이행하다, 기능하다 n. 기능, 행사
273	p. ~에 관심 / 흥미가 있는
274	p. 많은
275	n. 관광객
276	v. 알리다, 발표하다, 전하다
277	n. 우표, 도장, 흔적 v. 발을 구르다
278	a. 예기치 않은, 예상 밖의
279	n. 정신, 마음; 영혼, 혼
280	n. 박테리아, 세균
281	p. ~로 바쁘다
282	n. 질병, 질환; v. 병에 걸리게 하다
283	n. 승진, 진급
284	n. 항구, 항구 도시
285	a. 자신의, 직접 ~한 v. 소유하다

번호	정답
286	in the past
287	introduce
288	nonstop
289	panic
290	aboard
291	economy
292	for instance
293	cancel
294	greenhouse
295	tear
296	election
297	prey
298	excited
299	switch
300	none

Day 11

번호	정답
301	a. 심각한, 진지한, 만만찮은
302	v. 결혼하다
303	n. 칸막이한 좌석, 부스, 매점
304	n. 지원자, 자원봉사자
305	v. 모으다, 모이다
306	n. 이발, 헤어스타일
307	p. ~에 대해 걱정하다
308	v. 오르다, 올라가다, 일어나다 n. 증가, 인상
309	v. 녹다
310	n. 열정
311	a. 자연스러운, 본연의
312	adv. 그렇지만 conj. ~임에도 불구하고
313	v. 실현되다
314	n. 두려움 v. 두려워하다
315	n. 해군

번호	정답
316	unit
317	turn on
318	passenger
319	canal
320	poem
321	sector
322	college
323	reaction
324	tube
325	wisely
326	fortune
327	thanks to N
328	biography
329	royal
330	mad

Day 12

번호	정답
331	n. 사전
332	a. 이상한, 낯선
333	n. 범주
334	n. 식단
335	a. 무례한
336	n. 생기, 활기; 애니메이션, 동화
337	n. 이점, 장점
338	n. 자리, 위치, 직책, 입장; 일자리
339	n. 열, 줄 v. 노를 젓다
340	a. 외국의, 대외의; 이질적인, 생소한
341	a. 특이한, 드문
342	n. 무대 장면, 배경
343	p. 미안하다, 유감이다
344	n. 사회, 집단, 사교계; 학회
345	n. 소설 a. 신기한, 새로운

번호	정답
346	asleep
347	share
348	seem
349	remember
350	fee
351	gentle
352	warrior
353	curious
354	important
355	cheat
356	product
357	emergency
358	spin
359	waste
360	healthy

Day 13

번호	정답
361	v. 흔들다, 빙 돌다 n. 그네
362	n. 전문가, 숙련가
363	n. 우두머리, 부족장 a. 최고의
364	n. 벽장
365	v. 잡다, ~을 수용하다, ; (회의 등을) 개최하다
366	n. 끝, 모서리; (칼 등의) 날; 우위, 유리함
367	n. 명예 v. 경의를 표하다, 명예를 주다
368	a. 큰 소리로, 큰, 시끄러운
369	v. 최선을 다하다
370	p. ~옆에
371	a. 유용한, 쓸모 있는
372	a. 살아있는, 활기찬
373	a. 어리석은, 둔한, 멍청한
374	prep. ~위에
375	n. 곱슬머리 v. (몸을) 웅크리다

번호	정답
376	prove
377	shut
378	absent
379	period
380	be different from
381	international
382	since
383	come into
384	fair
385	one of
386	eventually
387	however
388	so so
389	emotion
390	illegal

Day 14

번호	정답
391	n. 재검토, 재조사; 재검토하다
392	v. 선택하다 a. 선택된
393	n. 효과, 영향; 결과
394	p. ~때문에
395	n. 환경, 주변환경, 주위상황
396	n. 철, 쇠; 다리미
397	v. 일어나다
398	v. 포함하다, 담고 있다
399	n. 시력, 보기
400	n. 함께 소리 내는 것(화음), 교향곡
401	n. 노력, 수고, 역작
402	p. 경우에 따라
403	a. ~을 닮지 않고, 닮지 않은
404	n. 양질의 특성
405	adv. 꽤, 상당히

번호	정답
406	throat
407	rare
408	garage
409	mine
410	license
411	tight
412	hanger
413	similar
414	concept
415	calm down
416	local
417	lap
418	restroom
419	borrow
420	rainforest

Day 15

번호	정답
421	a. 뒤쪽의, 후방의; 낙후된
422	n. 폭풍, 호우, 강타
423	adv. 나중에, 후에
424	adv. 거의
425	n. 대본, 원고
426	v. 허락하다, 용납하다
427	p. ~ 때문에
428	a. 시내의, 중심가의
429	v. 결속하다, 뜨개질하다 n. 니트
430	p. ~의 앞에
431	a. 큰, 대다수의, 주요한 n. 전공 v. 전공하다
432	v. 계속하다, 다시 시작하다
433	v. 드러내다, 전시하다, 과시하다 n. 전시
434	n. 발자국
435	v. 답장하다, 대답하다; n. 답장, 대답, 답변

번호	정답
436	factor
437	origin
438	endless
439	chase
440	celebrate
441	friendly
442	document
443	type
444	skillfully
445	eat out
446	billion
447	pole
448	by chance
449	bit
450	government

Day 16

번호	정답
451	a. 발의 n. 발판
452	a. 이해하기 힘든, 신비로운
453	n. 열, 흥분
454	n. 땅 속, 지하의; 지하에
455	v. 가라앉다, 내려앉다, 침몰시키다
456	n. 명령; 질서, 순서; v. 명령하다; 주문하다
457	n. 자연; 성질, 천성
458	n. 방법, 방식, 체계, 질서
459	a. 나이가 더 많은 n. 손윗사람, 연장자
460	p. 몇몇의, 여러, 많은
461	a. 화난 v. 화나게 하다
462	v. 졸업하다 n. 졸업생
463	a. 정확한, 정밀한
464	p. 큰 소리로 외치다
465	n. 악마

번호	정답
466	seek
467	be covered with
468	crash
469	besides
470	backyard
471	official
472	private
473	chest
474	worried
475	engineer
476	activity
477	leave for
478	stripe
479	erase
480	medic

Day 17

page 52

번호	정답
481	n. 바퀴
482	n. 설정
483	n. 모양, 형태, 형; 형성하다
484	n. 벌금 a. 좋은; 촘촘한; 화창한, 섬세한
485	v. 맞다, 맞추다, 어울리다 a. 건강한, 적합한
486	p. 서로
487	n. 환자 a. 인내하는, 참을성 있는, 끈기있는
488	n. 시인
489	a. 원래의
490	v. 설명하다, 이유를 대다
491	v. 떨어지다 n. 가을
492	v. 강의하다; 훈계하다, n. 강의, 꾸지람
493	n. 쌍둥이 중에 하나
494	v. 권하다, 추천하다
495	a. 자동의; 무의식적인

page 53

번호	정답
496	justice
497	neither
498	eastern
499	parade
500	logic
501	complete
502	recent
503	dynasty
504	certain
505	value
506	mark
507	talk about
508	invitation
509	lack
510	forgive

Day 18

page 55

번호	정답
511	v. 지우다, 삭제하다
512	n. 배달, (화물) 인도
513	a. 실망한, 낙담한
514	n. 경주, 경마, 인종, 씨족 v. 경주하다
515	n. 비율, 속도; v. 평가하다
516	n. 입김, 숨, 조금, 기미
517	v. 늘다, 늘리다, 증가
518	a. 가까운 adv. 가까이에
519	p. ~을 집어 들다, 구매하다
520	v. 말뚝을 박다, 착수하다, 공격(하다)
521	n. 일지
522	v. 전달하다, 의사소통하다
523	n. 분수
524	v. A를 B로 데려오다
525	n. 위치, 장소

page 56

번호	정답
526	poison
527	organization
528	blank
529	journey
530	solar
531	forward
532	require
533	foreigner
534	deal
535	sound like
536	bond
537	bounce
538	balance
539	semicircle
540	explore

Day 19

page 58

번호	정답
541	n. 비누; 드라마
542	n. 종류, 유형, (예술 작품의) 경로
543	v. 도보여행을 하다 n. 도보여행
544	v. 운동하다, 훈련하다; 행사하다 n. 운동, 훈련
545	v. 처벌하다
546	n. 결론, 결말
547	a. 북극의
548	n. 변명, 사과
549	n. 해결, 녹임, 용역
550	p. 머리가 아프다
551	a. 물속의, 수중의
552	adv. 특히
553	adv. 아직, 그러나, 하지만, 그런데도
554	n. 어려움, 곤경
555	v. 조언하다, 충고하다, 권고하다

page 59

번호	정답
556	discover
557	moment
558	whole
559	president
560	show up
561	feedback
562	examine
563	upper
564	certainly
565	lobby
566	taste
567	broad
568	opportunity
569	source
570	bake

Day 20

page 61

번호	정답
571	adv. 한 번, 한 차례
572	v. 위로(하다), 안락(하게 하다); n. 편안함
573	n. 형태, 형식, 양식 v. 구성하다, 형성하다
574	a. 정돈된, 깔끔한
575	p. 모든 종류의
576	a. 서쪽의, 서부의
577	adv. 이전에; 언젠가
578	v. 측정하다, 평가하다, 재다; 척도, 측정(량)
579	n. 스케치, 촌극, 개요 v. 스케치하다
580	n. 소설; 허구
581	n. 세금 v. 과세하다
582	v. 동의하다; 승낙하다, 일치하다
583	v. 지원하다, 지지하다, 뒷받침하다
584	n. 원인, 이유 v. 야기하다, 초래하다
585	v. 제목을 붙이다

page 62

번호	정답
586	be famous for
587	such
588	selective
589	salary
590	chart
591	get up
592	valuable
593	modern
594	put A into B
595	file
596	access
597	stop -ing
598	scream
599	myth
600	mixture

Day 21

page 64

번호	정답
601	n. 이익 v. 이익을 얻다, 이익을 주다
602	p. 동시에
603	prep. (셋 이상) 사이에, 중에
604	v. 들어 올리다, 올리다; 해제하다
605	n. 챔피언 v. 우적우적 먹다
606	n. 곡선 v. 곡선으로 나아가다
607	n. 꼬리표 v. 꼬리표를 붙이다
608	p. 포기하다, 그만두다, 양보하다
609	prep. ~안에, ~이내에
610	v. 응답하다, 대응하다
611	n. 능력
612	n. 장소, 위치
613	n. 문법
614	v. 이야기하다, 서술하다
615	n. 용기, 담력, 배짱

page 65

번호	정답
616	process
617	December
618	sum
619	capital
620	wire
621	artificial
622	article
623	bottom
624	about
625	rescue
626	normal
627	duty free
628	popular
629	from A to B
630	polar

Day 22

page 67

번호	정답
631	n. 감옥, 교도소
632	a. 북쪽의, 북쪽에 있는
633	n. 현장, 장면; 소동, 난리
634	v. 쭉 뻗다; 긴장시키다
635	a. 할 수 있는, 유능한
636	n. 흙, 토양
637	n. 대학(교), 대학 당국
638	v. 기쁘게 하다; adv. 제발
639	v. 붓다, 마구 쏟아지다
640	v. 제기하다, 야기하다, 포즈를 취하다
641	p. A를 포기하다
642	n. 서명
643	v. 떠나다; 남겨 두다
644	p. ~와 사랑에 빠지다
645	n. 양초

page 68

번호	정답
646	toothache
647	electricity
648	personal
649	treat
650	scandal
651	peace
652	a little
653	regular
654	plate
655	language
656	court
657	be happy with
658	laugh at
659	destroy
660	intend

Day 23

page 70

번호	정답
661	adv. 위층에서, 위층으로
662	adv. 해마다, 매년
663	n. 직업, 경력
664	adv. 여전히, 아직도, 역시 a. 정지한, 소리 없는
665	p. (의류 등을) 입거나 쓰다
666	p. 파이프, 관, 담뱃대
667	n. 초보자, 초심자
668	n. 약, 약품
669	v. ~에 걸다 n. 내기
670	p. 진찰을 받다
671	n. 목표, 물체, 대상/목적어; ~에 반대하다
672	v. 사과하다
673	n. 점 v. 점을 찍다
674	v. 출판하다; 발표하다
675	n. 독방, 세포, (작은) 칸

page 71

번호	정답
676	coast
677	hill
678	crisis
679	limit
680	immediately
681	knee
682	arrive at
683	nor
684	remind
685	evil
686	more than
687	be ready for
688	all the time
689	portable
690	freeze

Day 24

page 73

번호	정답
691	p. 한 쌍[켤레]의
692	n. 기후, 분위기
693	v. 돕다; n. 도움, 원조
694	n. 부
695	n. 남자; 수컷 a. 웅성의
696	a. 힘으로 할 수 있는, 가능한, 일어날 수 있는
697	v. 찌르다; 붙이다 n. 나뭇가지
698	n. 모피, 털
699	v. 수송하다
700	n. 특징, 성격; 인물, 캐릭터
701	n. 조리법, 요리법; 수단, 비결
702	n. (자동차의) 타이어
703	p. ~에 실증이 나다
704	n. 모험 v. 모험을 걸어보다, 과감히 ~해보다
705	a. 확실한, 확고한, 당당한 n. 회사

page 74

번호	정답
706	quarter
707	bullet
708	congratulate
709	climb
710	be curious about
711	scroll
712	behavior
713	terrible
714	narrator
715	fold
716	reason
717	amazing
718	centimeter
719	cough
720	decide

Day 25

page 76

번호	정답
721	n. 실행, 연습, 관행 v.연습하다, 실습하다
722	p. 절반으로
723	p. 잠들다
724	n. 발생, 세대, 자손
725	p. 밖으로 나가다, 외출하다
726	v. 배달하다; 강연하다; 분만시키다; 이행하다
727	n. 의무, 세금
728	v. 준비하다
729	p. ~할 때마다
730	n. 속도; 걸음, 보폭
731	p. 둘의, 몇몇의
732	n. 전통, 관습
733	n. 관계
734	n. 판사, 심판, 심사위원 v. 판결하다, 심판하다
735	n. 교육

page 77

번호	정답
736	creative
737	congratulation
738	millionaire
739	look at
740	instead
741	huge
742	search
743	luxury
744	be excited about
745	make noise
746	stand up
747	go for a walk
748	neighbor
749	match
750	zone

Day 26

page 79

번호	정답
751	p. 불을 끄다; (수도·가스 등을) 잠그다
752	a. 짠, 소금기 있는
753	n. 길; 항로, 노선; 방법
754	v. ~를 재생하다, 재이용하다
755	a. 익살스러운
756	v. 결과, 결말
757	n. 기념일 a. 기념일의
758	v. 물다
759	adv. 따라서, 그러므로, 그래서
760	n. 성인, 성자
761	n. 끈, 줄 v. 줄로 묶다
762	p. ~을 찾다
763	n. 영혼, 마음, 정신
764	n. 주제; 학과; 주어; 피실험자
765	p. 매우, (비교급 앞에서) 훨씬, 많은 것

page 80

번호	정답
766	although
767	most of
768	sheet
769	equal
770	solve
771	while
772	ball
773	make a call
774	bow
775	examination
776	more and more
777	block
778	ought to do
779	furniture
780	fashionable

Day 27

page 82

번호	정답
781	접촉; 인맥; 연락하다
782	a. (둘 중) 어느 하나의; (부정문) ~도 그렇다
783	v. 해치다; 해를 끼치다; 손상시키다
784	v. 제목을 붙이다
785	n. 침묵
786	p. 우회전을 하다
787	a. 숙련된, 능숙한
788	n. 주제, 테마
789	n. 저자
790	n. 동향, 추세
791	n. 대화
792	n. 사진작가, 사진사
793	p. 미래에, 앞으로
794	v. 장식하다; 훈장을 수여하다
795	prep. 바로 뒤에

page 83

번호	정답
796	movement
797	application
798	ask A to do
799	write down
800	delay
801	difficult
802	produce
803	deny
804	be good for
805	slip
806	alien
807	go abroad
808	cafeteria
809	chain
810	means

Day 28

page 85

번호	정답
811	v. 관리하다, 경영하다, 어떻게든 ~해내다
812	n. 서랍; 수표 발행인
813	n. 폐물, 고물; 시시한 것
814	v. 상담하다, 상의하다; 상담, 협의
815	a. 건강한 adv. 잘 n. 우물
816	p. 잠시 동안
817	p. ~의 출신이다, ~에서 나오다, 유래하다
818	v. 잠시 멈추다
819	n. 최소한도, 최저치 a. 최소한의, 최저의
820	v. 흐르다 n. 흐름(도)
821	p. ~할 만큼 충분히
822	a. 순수한
823	adv. 실제로, 정말로
824	v. 반복하다; 따라 말하다
825	a. 매끄러운, 부드러운 v. 매끄럽게 하다

page 86

번호	정답
826	lever
827	due
828	miss
829	address
830	awake
831	motivate
832	medical
833	pot
834	freedom
835	mop
836	fusion
837	profile
838	follow
839	be surprised at
840	landmark

Day 29

page 88

번호	정답
841	a. 신, 시큼한; v. 시어지다
842	v. 타오르다, 불에 타다 n. 화상
843	n. 성인
844	고정시키다, 정하다, 고치다
845	v. 호흡하다, 냄새를 풍기다, 나직이 말하다
846	n. 상품, 경품
847	p. ~할 필요가 있다
848	n. 상태, 상황; 국가, 주 v. 진술하다, 말하다
849	n. 격려; 증가 v. 복돋우다; 훔치다
850	adv. 해외에서, 해외로, 널리; n. 해외, 외국
851	n. 복권, 로또
852	n. 기계공, 수리공
853	n. 여권, 통행증
854	vt. 연결하다 / vi. 이어지다 ~with
855	prep. ~을 통하여; ~동안, ~내내

page 89

번호	정답
856	between A and B
857	routine
858	against
859	have to do
860	flash
861	knowledge
862	grip
863	mobile
864	for example
865	aura
866	be able to do
867	wonder
868	have fun
869	early
870	spot

Day 30

page 91

번호	정답
871	n. 발표, 제출, 증정; 표현, 제시
872	n. 동기, 자극
873	v. 무게를 달다, 체중을 달다; 따져 보다
874	a. 질투하는, 부러워하는
875	n. 달빛 a. 달빛의
876	v. 비교하다
877	n. 양, 수량, 분량
878	a. 가벼운, 온화한, 순한
879	n. 플래카드, 현수막, 기
880	진로, 진행, 강의 v. 뒤쫓다, 달리다
881	p. ~하느라 바쁘다
882	n. 젊은이, 젊음
883	p. ~에 능숙하다
884	a. 몇 개의
885	p. ~을 두려워하다, ~을 경외하다

page 92

번호	정답
886	lend
887	chat
888	legal
889	memorize
890	waste A in -ing
891	by oneself
892	vote
893	unique
894	return
895	merit
896	hire
897	pack
898	circumstance
899	performance
900	lawyer

이그잼보카 중등 중급 900

발 행 | 2024년 4월 24일
저 자 | 김동원
펴낸이 | 한건희
펴낸곳 | 주식회사 부크크
출판사등록 | 2014.07.15(제2014-16호)
주 소 | 서울특별시 금천구 가산디지털1로 110 SK트윈타워 A동 305호
전 화 | 1670-8316
이메일 | info@bookk.co.kr

ISBN | 979-11-410-8248-2

www.bookk.co.kr
ⓒ 김동원 2024